ポス

ノートゥ

カンガンスウォルレ

ハクセン

ヤーグ

ッシルム

チャプチ

サグァ

ソンセンニム

音声ストリーミング版

高校生のための韓国朝鮮語

高等学校韓国朝鮮語教育ネットワーク西ブロック
「新・好きやねんハングルⅠ」編集チーム

新 好きやねん ハングルⅠ

白帝社

高校生のみなさんへ

「ハングル」っておもしろい！

ヨロブン、アンニョンハセヨ？ みなさん、こんにちは。

韓国朝鮮語は文字の形など、見た目は少し難しそうに見えるかもしれませんが、単語や文の構造・発想などが日本語と似た点が多いので親しみやすく、楽しく学習できます。

また、ことばの学習を通して、そのことばを話す人々の姿や暮らし、さらに歴史や文化にも触れることができるでしょう。みなさんは韓国朝鮮に対してどのようなイメージや知識を持っていますか。「日本に一番近いくに」「食べ物が辛そう」、あるいは「祖父母や父母が生まれ育ったところ」という人もいるでしょう。

ことばの学習は、相手のありのままの姿を自分の目で直接見ることができる「窓」を自分のものにする過程だともいえます。学習が深まれば深まるほど、「窓」の外の景色は霧が晴れ、雲が遠のき、生き生きとした人々の姿が間近に見えてくるでしょう。また、ことばの学習は自分の姿を映し出す「鏡」のような役割も果たしてくれます。韓国朝鮮語を学ぶことで、日本語をふり返り、日本の文化や歴史、ひいてはそこで暮らす自分の姿をも映し出し、新たな自分を発見することにもなるでしょう。

「ことばを勉強して韓国を旅行してみたい」「あの不思議な（？）文字が読めたらいいな」「歌を原語で歌ってみたい」「友だちを作りたい」など、学習を始める動機はさまざまでしょうが、世界につながる新しい「窓」、自分を再発見する新しい「鏡」を自分のものにすることをめざして、いっしょに韓国朝鮮語の学習を始めましょう。

高等学校韓国朝鮮語教育ネットワーク

西ブロック「新・好きやねんハングルⅠ」編集チーム

このテキストを使用される先生方へ

世界につながる新しい窓、自分を再発見する新しい鏡

　近年、日本の高校のなかでも外国語として、あるいは国際理解教育や総合的な学習等の一環として、隣国のことばである韓国朝鮮語(「韓国語」「朝鮮語」「ハングル」「チョソノ」など、名称はさまざまです)を授業科目として実施する学校が増えてきています。

　2000年、関西の高校で教壇に立つ韓国朝鮮語の教師が中心となり、自分たちが教えている生徒および学校の実態に即した「韓国朝鮮語」教科書を作ろうとプロジェクトを開始、「学習のめやす」作りから「好きやねんハングル」試行版を経て、2004年には「高校生のための韓国朝鮮語 I 好きやねんハングル」を上梓しました。そのころ日本中は韓流に沸き、韓国語学習者はいっそうの広がりを見せており、「好きやねんハングル」は関西の高校だけでなく全国の高校で使用されてきました。

　続いて私たちは、続編である「好きやねんハングル2」の制作に取り掛かりましたが、途中、編集チームのメンバー数人が文部科学省の委嘱事業「高等学校における中国語と韓国朝鮮語の目標・内容・方法に関する研究[1]」プロジェクトに関わることにより、様々な試みに接する機会を得ました。「新・好きやねんハングル I」はこのような韓国朝鮮語教育をとりまく新たな環境に即したより良い教科書を、との願いで作り上げました。

　想定するクラスは、全くの入門から週2コマ(100分)で、およそ1年分です。前半では「文字と発音」をじっくり扱い、その確かな定着をめざしました。これと平行して、各課の「말해 보자」のコーナーでは、教師と生徒、あるいは生徒同士ですぐに使える「ひとこと会話」を楽しく身に着けながら、後半で学ぶ内容の先行学習ができるよう工夫しました。後半の「会話と文法」では、自分と自分の身の回りのことを表現したり、相手のことを尋ねるなど、高校生に想定されるさまざまな場面での表現を学びながら、韓国朝鮮語の文法の基礎を身に付けることができるようにしてあります。

　基本的に指導者(教師)のいる授業用のテキストとして作っているので、文法説明などは最小限にとどめてあります。また、さまざまな高校の実情に対応すべく、特に文法用語や説明の仕方等については、あくまでも学習者である高校生にとってわかりやすいことを第一としています。

高等学校韓国朝鮮語教育ネットワーク

西ブロック「新・好きやねんハングル I」編集チーム

---

1 文部科学省「学力向上拠点形成事業」の一環である「わかる授業実現のための教員の教科指導力向上プログラム」(2005-2006年)からの委嘱事業。

3

WEB上での音声無料ダウンロードサービスと
ストリーミング配信について

『新・好きやねんハングルⅠ』の音声ファイル(MP3)を無料でダウンロードできます。また、ストリーミング配信も行っています。

「白帝社 新・好きやねんハングル」で検索、または下記サイトにアクセスしてください。

http://www.hakuteisha.co.jp/news/n31884.html

■本文中の 🎧 マークの箇所が音声ファイル提供箇所です。

MP3ファイルはZIP形式で圧縮された形でダウンロードされます。

パソコンやスマートフォン（別途解凍アプリが必要）などにダウンロードしてご利用ください。

※ご使用機器、音声再生ソフトに関する技術的なご質問は、各メーカーにお問い合わせください。

■本文中にあるQRコードをスキャンすれば、ダウンロードは不要です。すぐに音声を再生できます。

MP3ファイル提供個所

有紀の自己紹介です。

QRコード

유키 : 안녕하세요?
　　　　저는 우에다 유키입니다.
　　　　아스카고등학교 이학년입니다.
　　　　반갑습니다.

目　次

会話と文法

発音記号について

ハングル表

地図

韓国朝鮮語について

「韓国朝鮮語」という呼び方

　日本のなかでは、隣国のことばをさすのに、立場や考え方の違いによって「韓国語」「朝鮮語」「コリア語」などさまざまな呼び方がありますが、これらはいずれも同じ言語を指しています。

　この教科書では、このような立場や呼び方の違いを超えて、高校生のみなさんに**ことばそのものを学んでほしい**との思いから、少し長いですけれど**「韓国朝鮮語」**と呼ぶことにしました。また隣国の全域を示す語として「韓国朝鮮」という呼び名を使います。

　でも、みなさんは、みなさんにとって馴染みやすい名称で呼んでくだされば結構です。

※　個別の場面では、必要に応じて「韓国」「朝鮮」という表現を用いています。

南北のことばの違い

　韓国(大韓民国)と北朝鮮(朝鮮民主主義人民共和国)の言語には多少の違いがありますが、主に方言や社会体制の違いがその要因です。しかし基本的には同じ言語なので、お互いの間の意思疎通に大きな不便はありません。少し状況は違いますが、日本語にも方言の違いがあり、英語にもアメリカ英語とイギリス英語で異なる点がありますね。

　単語や語句が異なる例としては、次のようなものがあります。

	友達	料理	大丈夫です
韓 国	チング 친구〈親舊〉	ヨリ 요리〈料理〉	クェンチャナヨ 괜찮아요
北朝鮮	トンム 동무〈同務〉	リョリ 료리〈料理〉	イーロプソヨ 일없어요

　※< >内は韓国朝鮮語の漢字表記です。

「ハングル」とは？

　日本語を書き表すには「ひらがな・カタカナ・漢字」を使い、英語は「ローマ字」で、中国語は「漢字」で書き表すように、韓国朝鮮語を書き表すときに「ハングル」を使います。
　つまり**「ハングル」というのは文字の名前**なのです。

I love 'Hangul'.

我喜欢朝鲜文字。

好きやねんハングル。

사랑해요, 한글.

ハングルの誕生

　15世紀以前の韓国朝鮮では、文書を書き表すのに、ほとんどすべて漢字を使っていました。しかし本来、中国語を書き表すための漢字は、韓国朝鮮語を表記するのにはとても不便であるうえ、習い覚えるのも大変だったため、貴族や学者、役人など一部の特権階級の占有物でした。そのため一般の庶民には読み書きの手段がないに等しかったのです。
　そのような状況を憂えた朝鮮王朝（当時の王朝）第四代国王の「**世宗（在位1418～1450）**」が、韓国朝鮮語の発音を科学的に分析し、それを書き表すのに適していて、しかも合理的で覚えやすい、民衆のための文字「訓民正音」を創りあげ（1443年）、公布したのです（1446年10月9日）。
　現在では「ハングル」と呼ばれていますが、これは20世紀初めに付けられた名称で、「偉大なる文字」という意味だと言われています。

世宗

『訓民正音』序文

韓国朝鮮語の特徴

韓国朝鮮語を日本語・中国語・英語と比べてみましょう。韓国朝鮮語と日本語には共通点の多いことがわかります。

ハングルのしくみ

ハングル(文字)は「子音字(白い囲みの中)」と「母音字(網かけの中)」が組み合わさって一文字をなします。

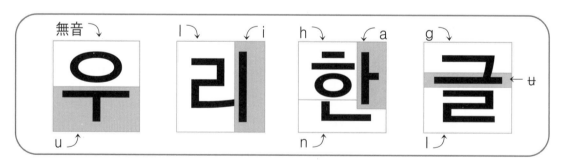

母音字は全部で21個、子音字は全部で19個ですが、そのうち最も基本的な母音字が8個、子音字が10個です。

文字と発音

ㅏ ㅓ ㅗ ㅜ ㅡ ㅣ ㅐ ㅔ

[a, ア]　[ɔ, オ]　[o, オ]　[u, ウ]　[ɯ, ウ]　[i, イ]　[ε, エ]　[e, エ]

発 音

ㅏ

[a, ア]

日本語の「あ」
と同じ発音。

ㅓ

[ɔ, オ]

口をポカンと
開けて「お」と
発音。

ㅗ

[o, オ]

唇を丸めて
「お」と発音。

ㅜ

[u, ウ]

唇を丸めて
「う」と発音。

ㅡ

[ɯ, ウ]

口を丸めずに
「う」と発音。

ㅣ

[i, イ]

日本語の「い」
と同じ発音。

ㅐ

[ε, エ]

口をやや大き
く開いて「え」
と発音。

ㅔ

[e, エ]

日本語の「え」
と同じ発音。

※「ㅐ」と「ㅔ」は同じように発音してもさしつかえありません。

12

書き方

　ハングルは必ず子音字と母音字を組み合わせて書くことになっています。母音だけを表す場合にも、音のない子音字「ㅇ」を組み合わせて書きます。

　縦長の母音字は左に「ㅇ」、右に母音字を、横長の母音字は上に「ㅇ」、下に母音字を書きます。

練習

⑴ 読んでみよう。
① 아우　　② 이에　　③ 오아
④ 어이에　⑤ 오으우　⑥ 아이우에오

⑵ 読んでみよう。

① 아이 (子ども)　　② 오이 (きゅうり)　　③ 에이 (A)

말해 보자(言ってみよう)①
マレ ボヂャ

안녕하세요?
アンニョンハセヨ
こんにちは。

저는 우에다 유키입니다.
チョヌン　ウエダ　　ユキイムニダ
わたしは　上田　　有紀です。

반갑습니다.
パンガプスムニダ
お会いできてうれしいです。

13

2. 基本的な子音①

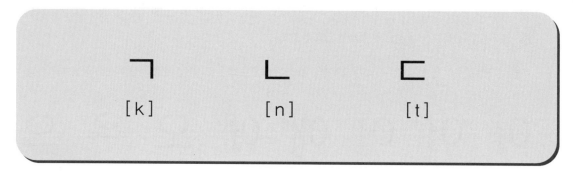

ㄱ [k]　　ㄴ [n]　　ㄷ [t]

発 音

これらの子音と八つの母音を組み合わせると……

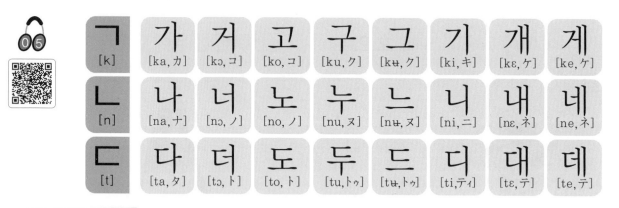

ㄱ [k]	가 [ka, カ]	거 [kɔ, コ]	고 [ko, コ]	구 [ku, ク]	그 [kɯ, ク]	기 [ki, キ]	개 [kɛ, ケ]	게 [ke, ケ]
ㄴ [n]	나 [na, ナ]	너 [nɔ, ノ]	노 [no, ノ]	누 [nu, ヌ]	느 [nɯ, ヌ]	니 [ni, ニ]	내 [nɛ, ネ]	네 [ne, ネ]
ㄷ [t]	다 [ta, タ]	더 [tɔ, ト]	도 [to, ト]	두 [tu, トゥ]	드 [tɯ, トゥ]	디 [ti, ティ]	대 [tɛ, テ]	데 [te, テ]

書き方

　母音字が縦書きの場合と横書きの場合とで子音字の形を少し変えてバランスを取ります。最後の線は、はらったりはねたりせずに、まっすぐ止めます。

ㄱ　ㄴ　ㄷ

가 개 기　　고 구 그
나 내 니　　노 누 느
다 대 디　　도 두 드

練 習

1 読んでみよう。

① 가오　　　② 다니　　　③ 구니

④ 기누　　　⑤ 도노　　　⑥ 다네

2 読んでみよう。

① 나 (僕、わたし)※　② 너 (お前、君)※　③ 개 (犬)　④ 누나 (姉 ←弟)

⑤ 네 (はい)

「子音」と「母音」の組み合わせの下に
さらに「子音」が加わる場合もあります。

눈

（目）　[nun]

※ 「나」「너」は同年輩や年下の人に向かって使います。

말해 보자（言ってみよう）②
マレ　ボヂャ

고등학생입니다.
コドゥンハクセンイムニダ
高校生です。

3. 基本的な子音 ②

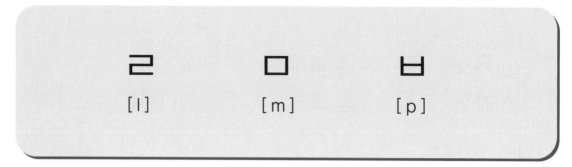

ㄹ
[l]

ㅁ
[m]

ㅂ
[p]

これらの子音と八つの母音を組み合わせると……

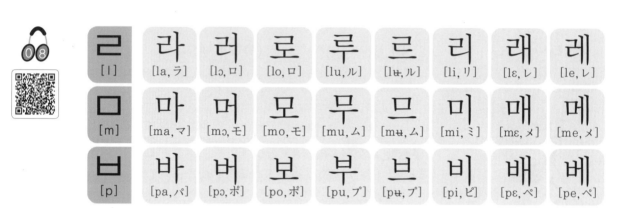

ㄹ [l]	라 [la, ラ]	러 [lɔ, ロ]	로 [lo, ロ]	루 [lu, ル]	르 [lɯ, ル]	리 [li, リ]	래 [lɛ, レ]	레 [le, レ]
ㅁ [m]	마 [ma, マ]	머 [mɔ, モ]	모 [mo, モ]	무 [mu, ム]	므 [mɯ, ム]	미 [mi, ミ]	매 [mɛ, メ]	메 [me, メ]
ㅂ [p]	바 [pa, パ]	버 [pɔ, ポ]	보 [po, ポ]	부 [pu, プ]	브 [pɯ, プ]	비 [pi, ピ]	배 [pɛ, ペ]	베 [pe, ペ]

「ㄹ」は「己」のように最後をはね上げません。

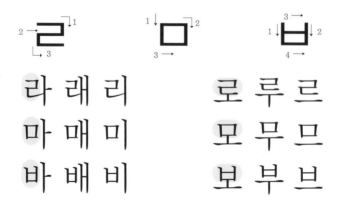

라 래 리　　로 루 르
마 매 미　　모 무 므
바 배 비　　보 부 브

練習

1 読んでみよう。

① 우리 (私たち)

② 나라 (国)

③ 노래 (歌)

④ 비 (雨)

⑤ 바나나 (バナナ)

⑥ 어머니 (母)

「子音」と「母音」の組み合わせの下に
さらに「子音」が加わる場合もあります。

이름
(名前) [ilɯm]

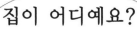
말해 보자 (言ってみよう) ③
マレ ボヂャ

집이 어디예요?
チビ オディエヨ
家は どこですか。

오사카예요.
オーサカエヨ
大阪です。

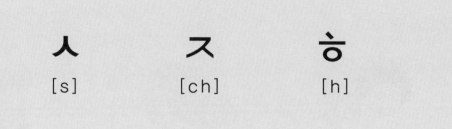

ㅅ [s]　ㅈ [ch]　ㅎ [h]

発音

これらの子音と八つの母音を組み合わせると……

ㅅ [s]	사 [sa, サ]	서 [sɔ, ソ]	소 [so, ソ]	수 [su, ス]	스 [sɯ, ス]	시 [si, シ]	새 [sɛ, セ]	세 [se, セ]
ㅈ [ch]	자 [cha, チャ]	저 [cho, チョ]	조 [cho, チョ]	주 [chu, チュ]	즈 [chɯ, チュ]	지 [chi, チ]	재 [che, チェ]	제 [che, チェ]
ㅎ [h]	하 [ha, ハ]	허 [hɔ, ホ]	호 [ho, ホ]	후 [hu, フ]	흐 [hɯ, フ]	히 [hi, ヒ]	해 [hɛ, ヘ]	헤 [he, ヘ]

書き方

　「ㅅ」は漢字の「人」を書くときの要領で書けばよいのですが、あまり下の部分を大きくはらわないようにしましょう。「ㅈ」は印刷の字体や字形によって「ㅈ」「ㅈ」となることもありますが、書くときはカタカナの「ス」の要領で書きます。

サ 새 시　소 수 스
자 재 지　조 주 즈
하 해 히　호 후 흐

練習

1 読んでみよう。

① 저 (わたくし)※

② 버스 (バス)

③ 아시아 (アジア)

④ 가수 (歌手)

⑤ 주소 (住所)

⑥ 하나 (ひとつ)

※ 目上の人の前では「나(僕、わたし)」ではなく「저」を使います。

マ レ ボ ヂャ
말해 보자 (言ってみよう)④

노래 좋아해요?
ノレ　チョアヘヨ
歌、好きですか。

네, 좋아해요.
ネー　チョアヘヨ
はい、好きです。

5. 濁る音(有声音化)

「ㄱ・ㄷ・ㅂ・ㅈ」の四つの子音は、語頭では濁りませんが、母音と母音にはさまれると「**濁る音(有声音)**」になります。

ㄱ	ㄷ	ㅂ	ㅈ
[k]	[t]	[p]	[ch]
⇩	⇩	⇩	⇩
[g]	[d]	[b]	[j]

저고리(チョゴリ)
[chɔ・ko・li, チョ・コ・リ]
　　→[chɔgoli, チョゴリ]

바지(ズボン)
[pa・chi, パ・チ]
　　→[paji, パヂ]

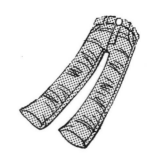

「ㅅ」と「ㅎ」は濁らないことに注意しましょう。

주스(ジュース)

지하도(地下道)

練 習

1 読んでみよう。

① 어디 (どこ)

② 누구 (誰)

③ 아버지 (父)

④ 지우개 (消しゴム)

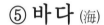
⑤ 바다 (海)

⑥ 호주 (オーストラリア〈濠州〉)

2 縦、横、斜めに読んで、隠れている単語を探そう。

아	가	누	구	하
시	수	바	나	나
아	버	지	우	개
주	스	리	하	다
소	저	고	리	도

말해 보자 (言ってみよう)⑤
マレ　ボヂャ

누구 좋아해요?
ヌグ　チョアヘヨ
誰(が)　好きですか。

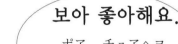
보아 좋아해요.
ポア　チョアヘヨ
BoA*(が) 好きです。

*BoAの代わりに他の歌手の
名前を入れてもかまいません。

21

6. 基本的な母音と子音のまとめ

これまで学習した母音と子音をまとめると、下の表のようになります。

	ㅏ [a]	ㅓ [ɔ]	ㅗ [o]	ㅜ [u]	ㅡ [ɯ]	ㅣ [i]	ㅐ [ɛ]	ㅔ [e]
ㄱ [k/g]	가	거	고	구	그	기	개	게
ㄴ [n]	나	너	노	누	느	니	내	네
ㄷ [t/d]	다	더	도	두	드	디	대	데
ㄹ [l]	라	러	로	루	르	리	래	레
ㅁ [m]	마	머	모	무	므	미	매	메
ㅂ [p/b]	바	버	보	부	브	비	배	베
ㅅ [s]	사	서	소	수	스	시	새	세
ㅇ [－]	아	어	오	우	으	이	애	에
ㅈ [ch/j]	자	저	조	주	즈	지	재	제
ㅎ [h]	하	허	호	후	흐	히	해	헤

練習

1 読んでみよう。

① 미에　② 나라　③ 에히메

④ 아오모리　⑤ 히로시마　⑥ 시마네

⑦ 사가　⑧ 지바　⑨ 가고시마

2 次のことばをハングルで書き表してみよう。

① 梅　② 文字　③ カニ

④ カバ　⑤ 空　⑥ 地理

⑦ へび　⑧ 鳥　⑨ 春

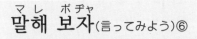

말해 보자(言ってみよう)⑥
マ レ ボヂャ

시간 있어요?
シガン　イッソヨ
時間　ありますか。

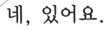

네, 있어요.
ネー イッソヨ
はい、あります。

아뇨, 없어요.
アニョ　オプソヨ
いいえ、ありません。

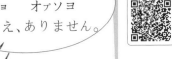

7. 激音

これまで習った子音のうち「ㄱ,ㄷ,ㅂ,ㅅ,ㅈ」を「平音」といいます。この課で習う「ㅋ,ㅌ,ㅍ, ㅊ」は、それぞれ「ㄱ,ㄷ,ㅂ,ㅈ」を発音しながら強い息を出す子音で、「激音」といいます。

ㅋ	ㅌ	ㅍ	ㅊ
[kʰ]	[tʰ]	[pʰ]	[chʰ]

가 [ka]			카 [kʰa]	
다 [ta]			타 [tʰa]	
바 [pa]			파 [pʰa]	
자 [cha]			차 [chʰa]	

※激音はどの位置にあっても濁る音（有声音）にはなりません。

発音

ㅋ [kʰ]	카 [kʰa, カ]	커 [kʰɔ, コ]	코 [kʰo, コ]	쿠 [kʰu, ク]	크 [kʰɯ, ク]	키 [kʰi, キ]	캐 [kʰɛ, ケ]	케 [kʰe, ケ]
ㅌ [tʰ]	타 [tʰa, タ]	터 [tʰɔ, ト]	토 [tʰo, ト]	투 [tʰu, トゥ]	트 [tʰɯ, トゥ]	티 [tʰi, ティ]	태 [tʰɛ, テ]	테 [tʰe, テ]
ㅍ [pʰ]	파 [pʰa, パ]	퍼 [pʰɔ, ポ]	포 [pʰo, ポ]	푸 [pʰu, プ]	프 [pʰɯ, プ]	피 [pʰi, ピ]	패 [pʰɛ, ペ]	페 [pʰe, ペ]
ㅊ [chʰ]	차 [chʰa, チャ]	처 [chʰɔ, チョ]	초 [chʰo, チョ]	추 [chʰu, チュ]	츠 [chʰɯ, チュ]	치 [chʰi, チ]	채 [chʰɛ, チェ]	체 [chʰe, チェ]

書き方

練習

1 読んでみよう。

① 토마토(トマト)　② 커피(コーヒー)　③ 치마(スカート)

④ 고추(唐辛子)　⑤ 배추(白菜)　⑥ 노트(ノート)

2 読んでみよう。

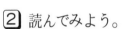

① 도치기　② 후쿠오카

③ 아프리카　④ 파리

말해 보자(言ってみよう)⑦
マレ　ボヂャ

오키나와에 가고 싶어요.
オキナワエ　　カゴ　シポヨ
沖縄に　　　　行きたいです。

어디 가고 싶어요?
オディ カゴ　シポヨ
どこに 行きたいですか。

8. 二重母音 ①

基本的な母音字「ㅏ ㅓ ㅗ ㅜ ㅐ ㅔ」の短い線がもう一本増えると、[y]が加わった発音（「ヤ行」にあたる）になります。

ㅑ	ㅕ	ㅛ	ㅠ	ㅒ	ㅖ
[ya,ヤ]	[yɔ,ヨ]	[yo,ヨ]	[yu,ユ]	[yɛ,イェ]	[ye,イェ]

発音

子音と二重母音①を組み合わせると……

	ㅑ	ㅕ	ㅛ	ㅠ	ㅒ	ㅖ
ㄱ [k]	갸 [kya,キャ]	겨 [kyɔ,キョ]	교 [kyo,キョ]	규 [kyu,キュ]	걔 [kɛ,ケ]	계 [ke,ケ]
ㄴ [n]	냐 [nya,ニャ]	녀 [nyɔ,ニョ]	뇨 [nyo,ニョ]	뉴 [nyu,ニュ]	냬	녜 [ne,ネ]
ㄹ [l]	랴 [lya,リャ]	려 [lyɔ,リョ]	료 [lyo,リョ]	류 [lyu,リュ]	럐	례 [le,レ]
ㅁ [m]	먀 [mya,ミャ]	며 [myɔ,ミョ]	묘 [myo,ミョ]	뮤 [myu,ミュ]	먜	몌
ㅅ [s]	샤 [sya,シャ]	셔 [syɔ,ショ]	쇼 [syo,ショ]	슈 [syu,シュ]	섀 [shɛ,シェ]	셰 [she,シェ]
ㅇ [ー]	야 [ya,ヤ]	여 [yɔ,ヨ]	요 [yo,ヨ]	유 [yu,ユ]	얘 [yɛ,イェ]	예 [ye,イェ]
ㅈ [ch]	쟈 [cha,チャ]	져 [chɔ,チョ]	죠 [cho,チョ]	쥬 [chu,チュ]	쟤 [chɛ,チェ]	졔
ㅎ [h]	햐 [hya,ヒャ]	혀 [hyɔ,ヒョ]	효 [hyo,ヒョ]	휴 [hyu,ヒュ]	햬	혜 [he,ヘ]

※「ㅒ」「ㅖ」は子音と組み合わさると [ɛ][e]と発音されることが多く、また、表の中の白ヌキの文字は、実際にはほとんど使われません。

※「ㄷ」と「ㅂ」の行は「뎌，듀」「벼，뷰」以外の文字は実際にはほとんど使われないので表に示しませんでした。

練習

1 読んでみよう。

① 우유 (牛乳)

② 여기 (ここ)

③ 요리 (料理)

④ 여자 (女の人〈女子〉)

⑤ 휴지 (ちり紙〈休紙〉)

⑥ 시계 (時計)

⑦ 주세요 (ください)

⑧ 아뇨 (いいえ)

⑨ 예 (はい)

2 読んでみよう。

① 도야마

② 미야기

③ 효고

말해 보자 (言ってみよう) ⑧
マ レ　ボ ヂャ

뭐 먹고 싶어요?
ムォ モッコ　シポヨ
何　食べたいですか。

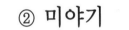

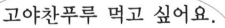

고야찬푸루 먹고 싶어요.
コヤチャンプル　モッコ　シポヨ
ゴーヤチャンプルー　食べたいです。

9. 二重母音 ②

「ㅗ」と「ㅏ・ㅐ・ㅣ」、「ㅜ」と「ㅓ・ㅔ・ㅣ」が組み合わさると [w] が加わった発音（「ワ行」にあたるもの）になります。また「ㅡ」と「ㅣ」が組み合わさり、「ㅢ」になります。

ㅘ	ㅙ	ㅚ	ㅝ	ㅞ	ㅟ	ㅢ
[wa, ワ]	[wɛ, ウェ]	[we, ウェ]	[wɔ, ウォ]	[we, ウェ]	[wi, ウィ]	[ɰi, ウイ]

※ 「ㅗ」と「ㅓ・ㅔ」、「ㅜ」と「ㅏ・ㅐ」のような組み合わせはありません。

発音

	ㅘ	ㅙ	ㅚ	ㅝ	ㅞ	ㅟ	ㅢ
ㄱ [k]	과 [kwa, クァ]	괘 [kwɛ, クェ]	괴 [kwe, クェ]	궈 [kwɔ, クォ]	궤 [kwe, クェ]	귀 [kwi, クィ]	긔
ㄷ [t]	돠 [twa, トゥァ]	돼 [twɛ, トゥェ]	되 [twe, トゥェ]	둬 [twɔ, トゥォ]	뒈 [twe, トゥェ]	뒤 [twi, トゥィ]	듸
ㅅ [s]	솨 [swa, スァ]	쇄 [swɛ, スェ]	쇠 [swe, スェ]	숴 [swɔ, スォ]	쉐 [swe, スェ]	쉬 [shwi, シュィ]	싀
ㅇ [–]	와 [wa, ワ]	왜 [wɛ, ウェ]	외 [we, ウェ]	워 [wɔ, ウォ]	웨 [we, ウェ]	위 [wi, ウィ]	의 [ɰi, ウィ]
ㅈ [ch]	좌 [chwa, チュァ]	좨 [chwɛ, チュェ]	죄 [chwe, チュェ]	줘 [chwɔ, チュォ]	줴 [chwe, チュェ]	쥐 [chwi, チュィ]	즤
ㅎ [h]	화 [hwa, ファ]	홰 [hwɛ, フェ]	회 [hwe, フェ]	훠 [hwɔ, フォ]	훼 [hwe, フェ]	휘 [hwi, フィ]	희 [hi, ヒ]

※ 「ㅢ」の [ɰi] という発音は子音と組み合わさると [i] と発音されます。
※ 白抜きの字は実際にはほとんど使われません。

練習

[1] 読んでみよう。

26

① 사과 (りんご)

② 교과서 (教科書)

③ 돼지 (豚)

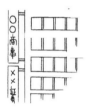

④ 회사 (会社)

⑤ 왜 (なぜ)

⑥ 뭐 (何)

⑦ 뒤 (後ろ)

⑧ 의자 (椅子)

⑨ 쉬워요 (易しいです)

マレ　ボヂャ
말해 보자 (言ってみよう)⑨

어제 티비 봤어요?
オジェ　ティビ　ポァッソヨ
昨日、　テレビ　見ましたか。

네, 봤어요.
ネー　ポァッソヨ
はい、見ました。

아뇨, 안 봤어요.
アニョ　アンボァッソヨ
いいえ、見ていません。

27

10. 濃音

ㄲ	ㄸ	ㅃ	ㅉ	ㅆ
[ˀk]	[ˀt]	[ˀp]	[ˀch]	[ˀs]

　韓国朝鮮語には「平音」「激音」という子音のグループがあることを学習しましたが、もうひとつ「濃音」というグループがあります。濃音は「ㄱ,ㄷ,ㅂ,ㅈ,ㅅ」を発音する前に一瞬息を止めるような要領で発音します。日本語の次の太字の部分の音に似ています。

28

しっかり	べったり	やっぱり	ぽっちゃり	あっさり
까[ˀka]	따[ˀta]	빠[ˀpa]	짜[ˀcha]	싸[ˀsa]

※濃音はどの位置にあっても濁る音（有声音）にはなりません。

発音

ㄲ [ˀk]	까 [ˀka, ッカ]	꺼 [ˀkɔ, ッコ]	꼬 [ˀko, ッコ]	꾸 [ˀku, ック]	끄 [ˀkɯ, ック]	끼 [ˀki, ッキ]	깨 [ˀkɛ, ッケ]	께 [ˀke, ッケ]
ㄸ [ˀt]	따 [ˀta, ッタ]	떠 [ˀtɔ, ット]	또 [ˀto, ット]	뚜 [ˀtu, ットゥ]	뜨 [ˀtɯ, ットゥ]	띠 [ˀti, ッティ]	때 [ˀtɛ, ッテ]	떼 [ˀte, ッテ]
ㅃ [ˀp]	빠 [ˀpa, ッパ]	뻐 [ˀpɔ, ッポ]	뽀 [ˀpo, ッポ]	뿌 [ˀpu, ップ]	쁘 [ˀpɯ, ップ]	삐 [ˀpi, ッピ]	빼 [ˀpɛ, ッペ]	뻬 [ˀpe, ッペ]
ㅉ [ˀch]	짜 [ˀcha, ッチャ]	쩌 [ˀchɔ, ッチョ]	쪼 [ˀcho, ッチョ]	쭈 [ˀchu, ッチュ]	쯔 [ˀchɯ, ッチュ]	찌 [ˀchi, ッチ]	째 [ˀchɛ, チェ]	쩨 [ˀche, チェ]
ㅆ [ˀs]	싸 [ˀsa, ッサ]	써 [ˀsɔ, ッソ]	쏘 [ˀso, ッソ]	쑤 [ˀsu, ッス]	쓰 [ˀsɯ, ッス]	씨 [ˀshi, ッシ]	쌔 [ˀsɛ, ッセ]	쎄 [ˀse, ッセ]

練習

[1] 読んでみよう。

① 오빠 (兄(←妹))

② 아저씨 (おじさん)

③ 찌개 (チゲ)

④ 어깨 (肩)

⑤ 까치 (カササギ)

⑥ 토끼 (ウサギ)

⑦ 예뻐요
(かわいいです)

⑧ 또 오세요
(また来てください)

⑨ 시끄러워!
(うるさい!)

말해 보자 (言ってみよう)⑩
マ レ　ボヂャ

뭐 봤어요?
ムォボァッソヨ
何 見ましたか。

드라마 봤어요.
トゥラマ　ポァッソヨ
ドラマ　　見ました。

11. 復習と整理

1 平音・激音・濃音の違いに注意しながら読んでみよう。

① **다요**(全部です)　　② **타요**(乗ります)　　③ **따요**(摘みます)

④ **자요**(寝ます)　　　⑤ **차요**(冷たいです)　　⑥ **짜요**(塩辛いです)

2 次の絵を見て、(　　)に単語を書き入れ発音してみよう。

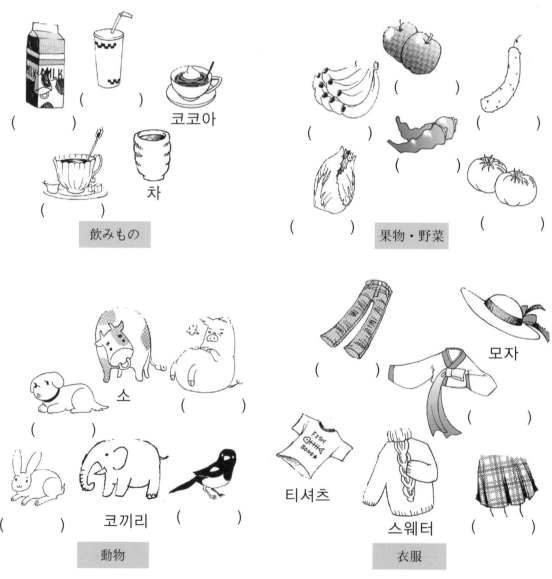

코코아

(　　　　)

차

(　　　　)

飲みもの

(　　　　)
(　　　　)
(　　　　)
(　　　　)
(　　　　)

果物・野菜

소

(　　　　)

코끼리

(　　　　)

(　　　　)

動物

모자

(　　　　)

(　　　　)

티셔츠

스웨터

(　　　　)

衣服

平音・激音・濃音のまとめ

平音	ㄱ	ㄷ	ㅂ	ㅈ	ㅅ
激音	ㅋ	ㅌ	ㅍ	ㅊ	
濃音	ㄲ	ㄸ	ㅃ	ㅉ	ㅆ

ハングルの母音字の成り立ち

母音字の最も基本的な要素は「天・地・人」です。

●	─	│
天	地	人

この三要素が組み合わさってハングルの母音字が作られています。

$$│ + ● → ㅏ \qquad ● + │ → ㅓ$$

$$● + ─ → ㅗ \qquad ─ + ● → ㅜ$$

ハングルの子音字の成り立ち

ハングルの子音字は、それぞれの子音を発音するときの発音器官の形をかたどって作られています。

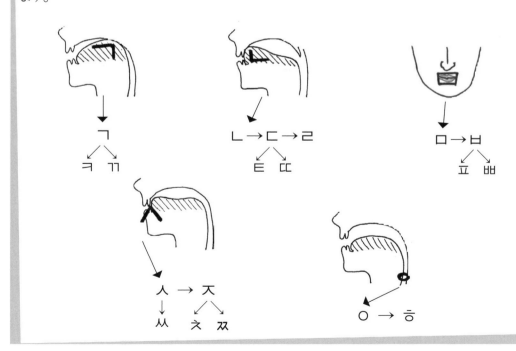

12. パッチム①

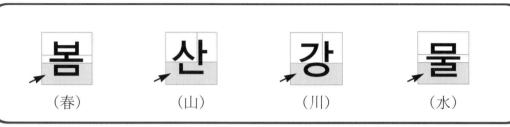

봄	산	강	물
（春）	（山）	（川）	（水）

　矢印で指した「ㅁ」「ㄴ」「ㅇ」「ㄹ」のような子音字のことを「パッチム(支え)」といいます。「ㅇ」は文字の最初に位置すると発音しませんが、「パッチム」として使われると発音されます。

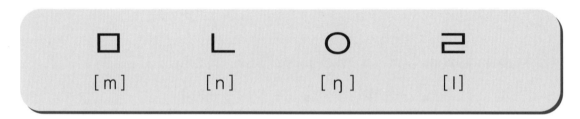

ㅁ	ㄴ	ㅇ	ㄹ
[m]	[n]	[ŋ]	[l]

発 音

암
[am]

唇を閉じて「ん」と発音する。
「あんみつ」の「ん」。

안
[an]

舌先を軽くかむつもりで「ん」と発音する。
「あんドーナッツ」と言うときの「ん」。

앙
[aŋ]

舌を後ろに引き、口をぽっかり開けて「ん」と発音する。
「あんこ」の「ん」。

알
[al]

舌先を上の歯の少し後ろにつけて、「あら」と言いかけて「ら」の途中で止めるような感じで発音する。

練習

1 読んでみよう。

① 언니 (姉(←妹))

② 형 (兄(←弟))

③ 동생 (弟/妹〈同生〉)

④ 선생님 (先生)

⑤ 사람 (人)

⑥ 김치 (キムチ)

⑦ 안녕!
(おはよう! バイバイ!)

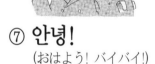
⑧ 할머니 (おばあさん)

⑨ 화장실
(トイレ〈化粧室〉)

マレ　ボヂャ
말해 보자 (言ってみよう)⑪

재미있었어요?
チェミイッソッソヨ
おもしろかったですか。

네, 재미있었어요.
ネー　チェミイッソッソヨ
はい、おもしろかったです。

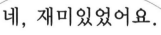

13. パッチム②

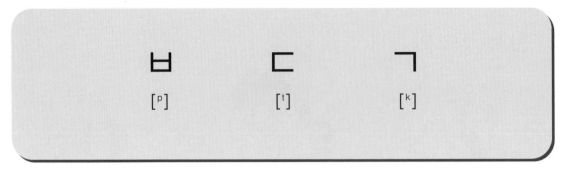

ㅂ	ㄷ	ㄱ
[ᵖ]	[ᵗ]	[ᵏ]

　上の子音がパッチムとして使われると、日本語の促音(小さい「っ」)のように発音されます。口の形はそれぞれ [p] [t] [k]を発音する時と同じですが、英語のcap, hat, sickの下線部のように息を出すのではなく、唇や舌だけを [p] [t] [k]の構えにします。

発 音

압
[aᵖ]

唇を閉じて「っ」と発音。
「あっぱれ」の「っ」。

앋
[aᵗ]

舌先を軽くかむつもり
で「っ」と発音。
「あった」の「っ」。

악
[aᵏ]

舌を後ろに引き口をぽっ
かり開け「っ」と発音。
「あっけない」の「っ」。

　「ㅍ, ㅌ, ㅅ, ㅆ, ㅈ, ㅊ, ㅎ, ㅋ, ㄲ」がパッチムになった場合は、下のように 「ㅂ, ㄷ, ㄱ」がパッチムになった場合と同じ発音となります。

앞	→	압 [aᵖ]
앝, 앗, 았, 앚, 앛, 앟	→	앋 [aᵗ]
앜, 앆	→	악 [aᵏ]

練習

1 読んでみよう。

① 밥(ご飯)

② 집(家)

③ 유럽(ヨーロッパ)

④ 옷(服)

⑤ 꽃(花)

⑥ 인터넷(インターネット)

⑦ 국(スープ)

⑧ 책(本〈冊〉)

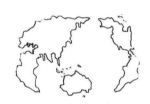

⑨ 외국(外国)

말해 보자(言ってみよう)⑫
マ レ ボ ヂャ

아침 뭐 먹었어요?
アチム ムォ モゴッソヨ
朝ご飯、何 食べましたか。

빵하고 사과 먹었어요.
パンハゴ サグァ モゴッソヨ
パンと りんご 食べました。

14. パッチムの後の発音

「ㅁ, ㄴ, ㅇ, ㄹ」パッチムの後では、「ㄱ, ㄷ, ㅂ, ㅈ」は [g][d][b][j]のように濁って発音されます。(有声音化)

練習

1 読んでみよう。

①  친구 (友だち〈親舊〉)

②  남자 (男・男の人〈男子〉)

③  형제 (兄弟)

④  일본 (日本)

⑤  한국 (韓国)

⑥  자전거 (自転車)

日本の地名や人名をハングルで書くには？

「島田(しまだ)」さんなら「시마다」と書けば「다」が自動的に濁って「シマダ」となりますが、「森田(もりた)」さんを「모리다」と書くと「다」が濁って「モリダ」さんになってしまいます。

濁った音を表すには、平音を使い、二文字目以降で濁らないようにするためには、「모리타」のように激音を使います。 ただし、一文字目の濁音はハングルで書き表すことができません。

そのほか、「きゃ」「しょ」などの書き表し方、「ん」や「っ」の書き表し方、「つ」「ぜ」などの韓国朝鮮語にない音の書き表し方などは、次の名前を参考にしながら、自分の名前を書いてみましょう。

高木健一 ➡ 다카기 겐이치		京都 ➡ 교토	
後藤美鈴 ➡ 고토 미스즈		静岡 ➡ 시즈오카	
服部京子 ➡ 핫토리 교코		北海道 ➡ 홋카이도	
財前勝江 ➡ 자이젠 가쓰에		天王寺 ➡ 덴노지	

「ㅂ, ㄷ, ㄱ」パッチムの後では、「ㄱ, ㄷ, ㅂ, ㅅ, ㅈ」は濁って発音せず、濃音[ㄲ, ㄸ, ㅃ, ㅆ, ㅉ]で発音されます。（濃音化）

練 習

② 読んでみよう。

 ① 학교(学校)

 ② 학생(学生)

 ③ 숙제 (宿題)

 ④ 식당(食堂)

⑤ 숟가락(スプーン)

 ⑥ 젓가락(箸)

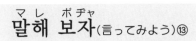 마레 ボヂャ
말해 보자(言ってみよう)⑬

 맛있었어요?
マシッソッソヨ
おいしかったですか。

 네, 맛있었어요.
ネー マシッソッソヨ
はい、おいしかったです。

パッチムの後に「ㅇ」で始まる文字が続くと、パッチムが「ㅇ」のところに移動したように発音されます。(連音)

할아버지
[하 라 버 지]
(おじいさん)

한국어
[한 구 거]
(韓国語)

練習

 1 読んでみよう。

① 음악 (音楽)

② 발음 (発音)

③ 목요일 (木曜日)

④ 백원 (100ウォン)

⑤ 있어요
(あります)

⑥ 없어요
(ありません)

「ㅇ」パッチムの後に「ㅇ」で始まる文字が続いた場合は、「ㅇ」パッチムの発音と次の母音を続けて発音します。

영어
[yɔŋɔ] (英語)

호랑이
[holaŋi] (虎)

練習

② 読んでみよう。

① 고양이 (ネコ)

② 생일 (誕生日)

③ 붕어빵 (たい焼き)

말해 보자 (言ってみよう)⑭
マレ ボヂャ

학교까지
ハッキョッカヂ
学校まで
어떻게 와요?
オットケ ワヨ
どうやって 来ますか。

자전거로 와요.
チャヂョンゴロ ワヨ
自転車で 来ます。

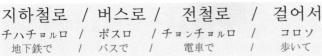

지하철로	/	버스로	/	전철로	/	걸어서
チハチョルロ	/	ポスロ	/	チョンチョルロ	/	コロソ
地下鉄で	/	バスで	/	電車で	/	歩いて

16. パッチムのまとめ

◎ パッチムの発音の共通点と違い

次の単語を発音しながら、「ㅁ, ㄴ, ㅇ」パッチムと「ㅂ, ㄷ, ㄱ」パッチムの共通点と違いを考えてみよう。

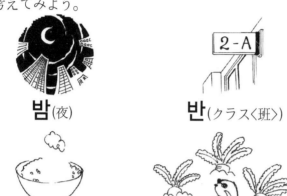

밤(夜)　　　반(クラス〈班〉)　　　방(部屋〈房〉)

밥(ご飯)　　　밭(畑)　　　밖(外)

◎ パッチムのまとめ

	밤 [pam]	반 [pan]	방 [paŋ]	
「ん」に聞こえるパッチム				
上下で口の形が同じ	⇕	⇕	⇕	발 [pal]
小さい「っ」に聞こえるパッチム	밥 [paᵖ]	밭 [paᵗ]	밖 [paᵏ]	

マレ　ボヂャ
말해 보자 (言ってみよう)⑮

숙제 했어요?
スクチェヘッソヨ
宿題しましたか。

네, 했어요.
ネー　ヘッソヨ
はい、しました。

아뇨, 못 했어요.
アニョ　モテッソヨ
いいえ、できていません。

42

―― コラム①　韓国朝鮮人の名前 ――

　韓国朝鮮人の代表的な姓は「金(김)」「李(이/리)」「朴(박)」で、これら三つの姓が全人口の約45％を占めています。その他、「崔(최)」「鄭(정)」「姜(강)」「趙(조)」「林(임/림)」「徐(서)」「安(안)」「梁(양/량)」など一文字の姓の人が大多数ですが、「南宮(남궁)」「諸葛(제갈)」など二文字の姓の人もいます。**同じ姓の人が多いので、名前は必ずフルネームで覚えましょう。**

　韓国朝鮮人の名前は、日本、中国と同じく姓が先に、名前が後に来ます。結婚をしても姓は変わらず、子どもは一般的に父親の姓を受け継ぎます。

　ところで、皆さんは在日韓国朝鮮人の多くが名前を二つ持っているということを知っていますか。そのことと関連して、少し歴史の話をしましょう。

　1910年、日本は大韓帝国(当時の国名)を植民地にしました。そして、中国との戦争が本格化すると戦争に協力させるため、皇国臣民化政策の一環として役所や学校で韓国朝鮮語を使うことを禁止し、名前を日本式に改めさせました(創氏改名)。

　先祖代々受け継いできた姓名を日本式にかえることは、韓国朝鮮人にとって耐え難いことでした。そのため激しく抵抗した人もいましたが、日本式の名前に改めないと役所で書類も受け付けてもらえないなど、社会生活に支障をきたしたため、多くの人が創氏改名に応じざるをえませんでした。

　1945年、日本の敗戦とともに韓国朝鮮は日本の植民地から解放され、民族の名前を取り戻しました。

　しかし、日本ではその後も差別や偏見のために、在日韓国朝鮮人が本名(民族名)と通名(日本名)の二つの名前を使い分けなければならない状況が続いてきたのです。

　でも、本当は「名前はひとつ」ですよね。日本で生まれ育った二世・三世・四世の人の中にも本名で暮らし、活躍する人もいます。

1	안녕하세요? アンニョンハセヨ	こんにちは。
2	반갑습니다. パンガプスムニダ	(お会いできて)嬉しいです。
3	안녕히 가세요. アンニョンヒガセヨ	さようなら。お気をつけて。(立ち去る人へ)
4	안녕히 계세요. アンニョンヒゲセヨ	さようなら。お元気で。(残る人へ)
5	안녕! アンニョン	おはよう！バイバイ！
6	잘 가. チャルガ	じゃあね。気をつけて。(立ち去る人へ)
7	잘 있어. チャリッソ	じゃあね。元気でね。(残る人へ)
8	고맙습니다. コマプスムニダ	ありがとうございます。
9	감사합니다. カムサハムニダ	ありがとうございます。
10	죄송합니다. チェソンハムニダ	申しわけありません。
11	미안해요. ミアネヨ	すみません。
12	괜찮아요. クェンチャナヨ	大丈夫です。かまいません。
13	있어요. イッソヨ	あります。 います。
14	없어요. オプソヨ	ありません。 いません。
15	주세요. チュセヨ	ください。

1	시작합시다. シヂャッカプシダ	始めましょう。
2	알겠어요? アルゲッソヨ	わかりますか。
3	네, 알겠습니다. ネー アルゲッスムニダ	はい、わかります。
4	아니요, 잘 모르겠어요. アニヨ チャル モルゲッソヨ	いいえ、よくわかりません。
5	잘 들으세요. チャル トゥルセヨ	よく聞いてください。
6	따라 해 보세요. ッタラ ヘ ボセヨ	あとについて言ってみてください。
7	다 같이. ターガチ	みんないっしょに。
8	다시 한번. タシ ハンボン	もう一度。
9	읽어 보세요. イルゴボセヨ	読んでみてください。
10	더 크게. トー クゲ	もっと大きい声で。
11	잘 했어요. チャレッソヨ	よくできました。
12	책을 보세요. チェグル ポセヨ	本を見てください。
13	아니에요. アニエヨ	ちがいます。
14	써 보세요. ッソボセヨ	書いてみてください。
15	이만 마치겠습니다. イマン マチゲッスムニダ	これで終わります。

会話と文法

キムソナ

金善雅(김선아)

- ●ソウル第一高校２年生
  (서울제일고등학교)
- ●趣味：歌(노래)
  　　　　テニス(테니스)

パク ヨンチョル

朴英哲(박영철)

- ●祖父母の故郷は済州島(제주도)
- ●あすか高校２年生
- ●サッカー部(축구부)
- ●趣味：バンド(밴드)

登場人物のプロフィール

なかやま ゆうた

中山裕太(나카야마 유타)

- ●あすか高校２年生
- ●野球部(야구부)
- ●趣味：映画鑑賞(영화 감상)

うえだ ゆき

上田有紀(우에다 유키)

- ●あすか高校２年生
- ●水泳部(수영부)
- ●趣味：読書(독서)

第1課 저는 우에다 유키입니다.

私は上田有紀です。

有紀の自己紹介です。

유키 : 안녕하세요?
　　　저는 우에다 유키입니다.
　　　아스카고등학교 이학년입니다.
　　　반갑습니다.

語　句

◆ 안녕하세요? こんにちは　　　◆ 저　　私　　　　　◆ ~는　　~は
◆ ~입니다　　　~です　　　◆ 아스카고등학교　あすか高校
◆ 이학년　　　2年生　　　　◆ 반갑습니다　　　（お会いできて）うれしいです

※ 初対面のあいさつや目上の人と話す場合は自分のことを「저」と言います。

発　音

◆ 입니다　　　［임니다］　　　◆ 이학년　［이항년］
◆ 반갑습니다　［반갑씀니다］

※ ［　］は実際の発音を表します。

訳

有紀：こんにちは。
　　　私は上田有紀です。
　　　あすか高校の２年生です。
　　　お会いできてうれしいです。

말 마당 （ことばの広場）① 自分や家族、友人の紹介

초등학생

중학생

고등학생

대학생

한국 사람

일본 사람

중국 사람

브라질 사람

회사원

선생님

간호사

주부

学習のポイント

1 ～는/은 ～は

「～는/은」は日本語の「～は」のように主題を表す助詞です。「～」に入ることばの最後にパッチムがないときは「는」を、パッチムがあるときは「은」をつけます。パッチムに「은」が続くときは「連音」となるので発音に注意しましょう。

（最後にパッチムなし）＋는　　저　　➡　저는
　　　　　　　　　　　　　私　　　　　私 は

（最後にパッチムあり）＋은　선생님　➡　선생님은　　［선생니믄］
　　　　　　　　　　　　　先生　　　　　先生　 は

2 ～입니다 ～です

「～입니다」の「～」の部分には名詞が入ります。名詞の最後にパッチムがあってもなくても「～입니다」を付けます。ただし、パッチムがあるときは「連音」となるので、発音に注意しましょう。また、文の終わりには「。」ではなく、「．」(ピリオド)をつけます。

나카야마 유타　➡　나카야마 유타입니다.
中山　　裕太　　　　中山　　裕太　です。

박영철　➡　박영철입니다.　［바경처림니다］
パク・ヨンチョル　　パク・ヨンチョルです。

疑問形は「～입니까? ～ですか。」

3 学年

数字の「1、2、3、4」は、それぞれ「일,이,삼,사」と言います。数字の後に「학년[항년]」をつけて「学年」を表します。発音の変化に注意しましょう。

일학년 ［이랑년］　　　이학년 ［이항년］
1 年生　　　　　　　　2 年生

삼학년 ［사망년］　　　사학년 ［사항년］
3 年生　　　　　　　　4 年生

練 習

1 (　　　)の中の助詞はどちらが正しいか、丸をつけよう。

① 친구(는 / 은)　② 선생님(는 / 은)　③ 언니(는 / 은)

(名前)

④ 동생(는 / 은)　⑤ 이름(는 / 은)　⑥ 오빠(는 / 은)

2 例のように「～입니다(～です)」を用いて言ってみよう。

例　박영철　➡　박영철입니다.
　　パク・ヨンチョル　　パク・ヨンチョルです。

① 김선아　② 대학생　③ 한국 사람

④ 회사원　⑤ 일본 사람　⑥ 주부

3 例のように「〜는/은 〜입니다(〜は〜です)」を用いて言ってみよう。

例　동생　➡　동생은 중학생입니다.
　　　　　　　　妹は　　　　中学生です。

중학생

① 언니

대학생

② 어머니

간호사

③ 친구

브라질 사람

④ 이름

우에다 유키

4 例のように韓国朝鮮語で自己紹介をしてみよう。

例　안녕하세요?
　　저는 나카야마 유타입니다.
　　일본 사람입니다.
　　아스카고등학교 이학년입니다.
　　야구부입니다.
　　반갑습니다.

5 韓国朝鮮語で家族を紹介してみよう。

말마당 （ことばの広場）②　　家族の呼称

영철이 가족（ヨンチョルの家族）

※ 「영철」のように最後にパッチムのある名前には「이」を加えることが多いです。

유키 가족（有紀の家族）

第2課 집이 어디예요?

家はどこですか。

ソナが有紀に話しかけています。

선아 : 집이 어디예요?

유키 : 오사카예요.

선아 : 좋아하는 스포츠가 뭐예요?

유키 : 수영이에요. 저는 수영부예요.

선아 : 아, 그래요?

語句

◆ 집　　　　　家
◆ 어디　　　　どこ
◆ 오사카　　　大阪
◆ 스포츠　　　スポーツ
◆ 뭐　　　　　何
◆ ～이에요　　～です
◆ 아　　　　　ああ

◆ ～이　　　　　（疑問詞のある疑問文で）～は
◆ ～예요〔?〕　　～です〔か〕
◆ 좋아하는 ～　　好きな～
◆ ～가　　　　　（疑問詞のある疑問文で）～は
◆ 수영　　　　　水泳
◆ 수영부　　　　水泳部
◆ 그래요?　　　 そうなんですか

発音

◆ 예요　[에요]　　　◆ 좋아하는　[조아하는]

訳

ソナ：家はどこですか。
有紀：大阪です。
ソナ：好きなスポーツは何ですか。
有紀：水泳です。私は水泳部です。
ソナ：ああ、そうなんですか。

말마당 (ことばの広場) ③　　스포츠（スポーツ）

야구　　　　　축구　　　　　농구　　　　　배구

테니스　　　　탁구　　　　배드민턴　　　　럭비

수영　　　육상경기　　　　유도　　　　태권도

学習のポイント

1 ～예요/이에요 ～です

「～입니다(～です)」と意味は同じですが、より親近感のこもった表現です。
「～」に入ることばの最後にパッチムがないときは「예요」を、パッチムがあるときは
「이에요」を付けます。

（最後にパッチムなし）＋예요　　　　오사카 ➡ 오사카예요.
　　　　　　　　　　　　　　　　　大阪　　　大阪 です。

（最後にパッチムあり）＋이에요　　　수영 ➡ 수영이에요.
　　　　　　　　　　　　　　　　　水泳　　　水泳 です。

また、文末を低く発音すると平叙文、上げて発音すると疑問文になります。書く
ときは文の終わりに[？]をつけます。

어디예요?　　　　　　　　여기예요.
どこですか。　　　　　　　ここです。

2 ～가/이 〈뭐/어디/누구/…〉 예요/이에요?
　～は〈何/どこ/誰/…〉ですか

「～は何(뭐)ですか」「～はどこ(어디)ですか」「～は誰(누구)ですか」のような疑問詞
をともなう疑問文では、「～は」にあたるところに、普通「～가/이」を使います。
「～」に入ることばの最後にパッチムがないときは「가」を、パッチムがあるときは
「이」を付けます。

（最後にパッチムなし）＋가 뭐예요?

좋아하는 스포츠 ➡ 좋아하는 스포츠가 뭐예요?
好きな スポーツ 　　　好きな 　　スポーツは 　何ですか。

（最後にパッチムあり）＋이 어디 예요?

집 ➡ 집이 어디예요?
家 　　家は どこですか。

58

練 習

1 例のように、絵を見て問いに答えよう。

例 　　Q： 뭐예요?　　何ですか。
　　　　　　　　　A： 토끼예요.　　うさぎです。

(1)　Q： 뭐예요?

①　②　③　④

(2)　Q： 누구예요?

①　②　③　④

(3)　Q： 어디예요?

①　②　③　④

2 次の各文で（　　）の中の助詞はどちらが正しいか、丸をつけよう。

① 이름(가 / 이) 뭐예요?
② 집(가 / 이) 어디예요?
③ 좋아하는 스포츠(가 / 이) 뭐예요?
④ 좋아하는 가수(가 / 이) 누구예요?

3 例のように、それぞれの問いに答えよう。

> 例　Q: 집이 어디예요?　　　　家はどこですか。
> 　　A: 고베예요.　　　　　　神戸です。

① 이름이 뭐예요?
② 무슨 부예요?
③ 좋아하는 가수가 누구예요?
④ 좋아하는 스포츠 선수가 누구예요?
⑤ 좋아하는 계절이 뭐예요?

봄　　　　여름　　　　가을　　　　겨울

이름 : 名前　　　무슨 부 : 何部(なに)　　　선수 : 選手　　　계절 : 季節

말마당 (ことばの広場) ④　특별 활동 (クラブ活動〈特別活動〉)

방송부

연극부

음악부

서예부

바둑부

영어회화부

다도부

미술부

사진부

만화 연구부

영화 연구부

한국(조선)문화 연구부

第3課 생일이 언제예요?

誕生日はいつですか。

裕太がソナに誕生日をたずねています。

유타 : 선아 씨, 생일이 언제예요?

선아 : 시월 십구일이에요.

　　　　유타 씨는 언제예요?

유타 : 실은 오늘이에요.

선아 : 어머, 정말이에요? 축하해요.

語 句

◈ ~씨	~さん	◈ 생일	誕生日
◈ 언제	いつ	◈ 시월	10月
◈ 십구일	19日	◈ 실은	実は
◈ 오늘	今日	◈ 어머	あら
◈ 정말	本当	◈ 축하해요	おめでとう

発 音

◈ 축하해요　[추카해요]

訳

裕太：ソナさん、誕生日はいつですか。
ソナ：10月19日です。
　　　裕太さんは、いつですか。
裕太：実は今日なんです。
ソナ：あら、本当ですか。おめでとう。

말마당 (ことばの広場)⑤　　학교 행사 (学校行事)

입학식(入学式)

졸업식(卒業式)

중간 고사(中間試験)

기말 고사(期末試験)

말하기 대회
(スピーチコンテスト)

학교 축제(文化祭)

수학 여행(修学旅行)

체육 대회(体育大会)

소풍(遠足)

여름 방학(夏休み)

겨울 방학(冬休み)

봄 방학(春休み)

学習のポイント

1 漢字語数詞 　일 一 ～ 십 十

　日本語には「いち、に、さん…」(漢字語数詞)と「ひとつ、ふたつ、みっつ…」(固有語数詞)の二通りの数詞がありますが、韓国朝鮮語にも漢字語数詞と固有語数詞の二種類の数詞があります。ここでは漢字語数詞を学習します。

一	二	三	四	五	六	七	八	九	十
일	이	삼	사	오	육	칠	팔	구	십

※ 二桁の数字の表し方　　　　48：よん・じゅう・はち ⇨ 사십팔

※ 「십육(16)」は[심뉵]と発音します。

※ 「0」は「영(零)」または「공(ゼロ)」と読みます。電話番号を言い表す場合は普通「공」と読みます。

2 月日の表し方 　월 月 ・일 日

　「～月」、「～日」は漢字語数詞に「～월」、「～일」をつけて表します。ただし、6月と10月は特別な形になります。

1月	2月	3月	4月	5月	6月	7月	8月	9月	10月	11月	12月
일월	이월	삼월	사월	오월	유월	칠월	팔월	구월	시월	십일월	십이월

10月 9日：시월 구일　　　　6月 25日：유월 이십오일

何月：몇 월[며뒬]　　　　何日：며칠

3 疑問詞

何	どこ	誰	いつ	何~(番、個、…)
뭐, 무엇	어디	누구	언제	몇(번,개,…)

　数をたずねる場合の「何～」は「몇～」を使います。

　몇 번이에요?　　　何番ですか。

練 習

1 例のように、電話番号を韓国朝鮮語で言ってみよう。

> 例 消防署 119 ➡ 일일구

① 警察 110 　　② 番号案内 104 　　③ 天気予報 177

④ 時報 117 　　⑤ 学校 　　⑥ 自宅

2 下の絵を見て友だちの電話番号(전화번호[저놔버노])をたずねあってみよう。

전화번호가 몇 번이에요?
電話番号は何番ですか。

공구공의 일이삼사의 오육칠팔이에요.
090 - 1234 - 5678です。

※「~의[~の]」は「~에」と発音します。

3 例のように、数を韓国朝鮮語で言ってみよう。

> 例 92 ➡ 구십이

① 17 　② 24 　③ 30 　④ 43 　⑤ 55

⑥ 68 　⑦ 79 　⑧ 81 　⑨ 16 　⑩ 26

④ 次の行事は何月何日ですか。 韓国朝鮮語で言ってみよう。

① 설날 (正月)
② 발렌타인데이
③ 어린이날 (子どもの日)
④ 칠석 (七夕)
⑤ 한글날 (ハングルの日)
⑥ 크리스마스

⑤ 例にならって、友だちと誕生日をたずねあってみよう。

例
생일 / 3月10日

A: 생일이 언제예요?

B: 삼월 십일이에요.

⑥ [말 마당⑤]を見て、例にならって自分の学校の行事日を韓国朝鮮語で言ってみよう。

例 
입학식 / 4月1日

A: 입학식이 언제예요?

B: 사월 일일이에요.

① 졸업식
② 학교 축제
③ 체육대회
④ 소풍

コラム 2 伝統的な年中行事

설 (正月)

　晴れ着を身に付け、たくさんの供え物をして「차례〈茶禮〉」という先祖を祀る儀式をします。
　家族全員が集まり、「세배（新年のあいさつ〈歳拝〉）」をし、「떡국（餅入りスープ）」を食べます。子どもたちは「세뱃돈（お年玉）」をもらったり、目上の人からためになる話を聞いたりします。
　伝統的な正月の遊びには、「윷놀이（すごろく）」、「연날리기（たこあげ）」、「널뛰기（板跳び）」などがあります

단오절(端午の節句)

　菖蒲湯で頭を洗うと髪につやが出て厄除けになり、子どもは丈夫に育つと言い伝えられています。また「씨름（相撲）」や「그네뛰기（ぶらんこ）」などをして楽しみます。

추석(中秋)

　「설」と並ぶ、日本のお盆に似た大きな行事です。晴れ着を身に付け、その年にとれた穀物や果物など、たくさんの供え物をして、先祖を祀る「차례〈茶禮〉」を行います。供えたご馳走を下げて食事をし、その後、墓参りをします。また、「송편（松餅）」という餅を作って食べたりします。
　各地で「씨름（相撲）」大会、「줄다리기（綱引き）」、「강강술래（輪になって踊る踊り）」などが行われます。

第4課 식당은 체육관 옆에 있어요.

食堂は体育館のとなりにあります。

ソナが学校の食堂についてたずねています。

선아 : 학교 안에 식당 있어요?

유키 : 네, 체육관 옆에 있어요.

선아 : 뭐가 맛있어요?

유키 : 정식이 맛이 있어요.

선아 : 김치도 있어요?

유키 : 아니요, 김치는 없어요.

語 句

◆ 안	中	◆ ~에	~に
◆ 식당	食堂	◆ 있어요〔?〕	あります〔か〕
◆ 네	はい	◆ 체육관	体育館
◆ 옆	となり	◆ ~가	~が
◆ 맛있어요〔?〕	おいしいです〔か〕		
◆ 정식	定食	◆ ~이	~が
◆ 맛이 있어요	おいしいです		
◆ 김치	キムチ	◆ ~도	~も
◆ 아니요	いいえ		
◆ 없어요	ありません		

発 音

◆ 있어요　[이써요]　　◆ 없어요　[업써요]

68

訳

ソナ：学校の中に食堂ありますか。
有紀：はい、体育館のとなりにあります。
ソナ：何がおいしいですか。
有紀：定食がおいしいです。
ソナ：キムチもありますか。
有紀：いいえ、キムチはありません。

말 마당 (ことばの広場)⑥　場所や建物

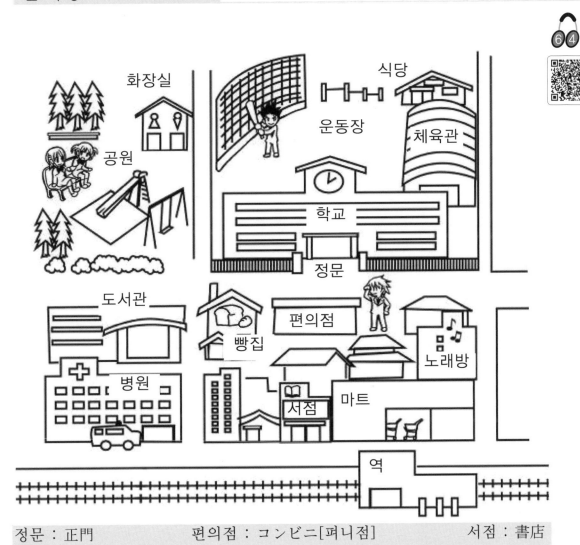

정문：正門	편의점：コンビニ[펴니점]	서점：書店
마트：スーパーマーケット		

学習のポイント

1 存在を表す表現

日本語では「人がいます」と「物があります」のように、主語が人であるか物であるかによって「いる」と「ある」を使い分けますが、韓国朝鮮語ではこの区別がありません。

있어요	없어요
います / あります	いません / ありません

文末を上げて発音すると、疑問文になります。

남자 친구 있어요?	ボーイフレンドいますか。
네, 있어요.	はい、います。
김치 없어요?	キムチありませんか。
아니요, 있어요.	いいえ、あります。

2 ～가/이　～が

「～가/이」は日本語の「～が」のように主語を表す助詞です。「～」に入ることばの最後にパッチムがないときは「가」を、パッチムがあるときは「이」を付けます。パッチムに「이」が続くときは「連音」となるので発音に注意しましょう。

(最後にパッチムなし)＋가	김치	➡	김치가
	キムチ		キムチが

(最後にパッチムあり)＋이	정식	➡	정식이 [정시기]
	定食		定食が

💡「저」「나」「누구」などの語は「가」が付くと形が変わります。

저(私)　＋ 가　⇨　제가(私が)　　나(私、僕)＋ 가　⇨　내가(私が、僕が)

누구(誰)＋ 가　⇨　누가(誰が)

③ ～에　～に

「～에」は日本語の「～に」のように時や場所を表す助詞です。
「～」に入ることばの最後にパッチムがあってもなくても「에」を付けますが、パッチムに続くときは「連音」となるので発音に注意しましょう。

학교에　　　　　　　옆에　[여페]
学校 に　　　　　　　横 に

 「여기(ここ)、거기(そこ)、저기(あそこ)、어디(どこ)」の後の「～에」は、よく省略されます。

④ ～도　～も

「～도」は日本語の「～も」のように、付け加えることを表す助詞です。「～」に入ることばの最後にパッチムがあってもなくても、「도」を付けます。

가방도　　　　　노트도　　　　　책도
かばん も　　　　ノート も　　　　本 も

⑤ 位置を表すことば

位置を表すことばには「위(上)、아래(下)、밑(真下、底)、앞(前)、뒤(後ろ)、옆(横、となり)、안(中、内)、속(中、奥)、밖(外)、근처(近所、近く)」などがあります。例えば「학교 안(学校の中)」のように言い、日本語の「の」にあたる助詞は必要ありません。

練習

1 次の各文で(　　)の中の助詞はどちらが正しいか、丸をつけよう。

① 책(가 / 이) 없어요.　　② 숟가락(가 / 이) 없어요.

③ 노트(가 / 이) 없어요.　　④ 강아지(가 / 이) 있어요.

⑤ 약속(가 / 이) 있어요.　　⑥ 컴퓨터(가 / 이) 있어요.

2 ソナの部屋について、次の問いに答えよう。

〈선아 방〉

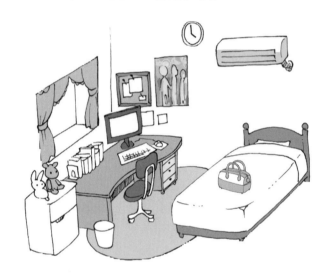

① 책상이 있어요?

② 에어컨이 있어요?

③ 책상 위에 뭐가 있어요?

④ 티브이도 있어요?

⑤ 가방은 책상 위에 있어요?

⑥ 냉장고가 어디 있어요?

강아지 : 小犬	약속 : 約束	컴퓨터 : コンピューター
책상 : 机	에어컨 : エアコン	티브이 : テレビ
가방 : カバン	냉장고 : 冷蔵庫	침대 : ベッド

③ 練習２のソナの部屋と、下のヨンチョルの部屋を比べて、次の問いに答えよう。

〈영철이 방〉

① 영철이 방에는 뭐가 있어요?

② （ソナの部屋とヨンチョルの部屋を比べて）

영철이 방에는 뭐가 없어요?

③ （ソナの部屋とヨンチョルの部屋を比べて）

선아 방에는 뭐가 없어요?

④ 뭐가 선아 방에도 영철이 방에도 있어요?

④ 自分の部屋に何があるか、何がないか友だちとたずねあってみよう。

⑤ 「말 마당 ⑥」を見て、次の問いに韓国朝鮮語で答えよう。

① 역 앞에 무엇이 있어요?

② 마트 옆에 무엇이 있어요?

③ 공원 안에 화장실이 있어요?

④ 학교 근처에 노래방이 있어요?

⑤ 운동장에 누가 있어요?

⑥ 도서관은 어디 있어요?

책장：本棚　　기타：ギター　　　포스터 : ポスター　　　축구공 : サッカーボール
쓰레기통：ゴミ箱　　　〜에는 : 〜には　　　　〜에도 : 〜にも　무엇 : 何(=뭐)

第5課 언니 거예요.

姉のです。

ソナが、有紀の持っているDVDについてたずねています。

선아 : 그 디브이디 뭐예요?

유키 : 한국 드라마예요.

선아 : 그거 유키 씨 거예요?

유키 : 아뇨, 언니 거예요.

　　　 우리 언니가 한국 드라마를 좋아해요.

語　句

◈ 그 ~　　　　　その ~　　　　　◈ 디브이디　　　DVD
◈ 드라마　　　　ドラマ　　　　　◈ 그거　　　　　それ
◈ 거　　　　　　もの　　　　　　◈ 아뇨　　　　　いいえ←「아니요」の縮約形
◈ 우리 언니　　うちの姉　　　　◈ ~를 좋아해요　~が好きです

※「우리(私たち)」は、「うちの」という意味でも使われます。

発　音

◈ 유키 씨 거 [유키씨꺼]　　　◈ 언니 거　 [언니꺼]
◈ 좋아해요　 [조아해요]

74

訳

ソナ：そのDVD、何ですか。
有紀：韓国ドラマです。
ソナ：それ、有紀さんのですか。
有紀：いいえ、姉のです。
　　　うちの姉が韓国ドラマが好きなんです。

말 마당 (ことばの広場) ⑦　　身のまわりのもの

모자

귀걸이

목걸이

스웨터

벨트

치마

손수건

청바지

우산

운동화

옷

핸드폰

양말

신발

안경

티셔츠

배낭

바지

샌들

75

学習のポイント

① 指し示す言葉

　　話し手の近くにあるものを「이 ～」、聞き手の近くにあるものを「그 ～」、両者から離れた所に見えるものを「저 ～」で指し示します。

この ～	その ～	あの ～
이～	그～	저～

これ	それ	あれ
이거, 이것	그거, 그것	저거, 저것

※「이거, 그거, 저거」は、「이것, 그것, 저것」の縮約形です。

② 所有の表現

　　日本語では「有紀さんのもの」のように所有を表すとき、助詞の「の」が必要ですが、韓国朝鮮語では「の」にあたる助詞を使わずに、名詞を並べて表します。

선아 씨 샤프　　　　유키 씨 거
ソナさんのシャーペン　　有紀さんのもの

 ただし、「私の～」というときは、「제 ～」「내 ～」になります。

제 가방　　　　　내 거
私の カバン　　　　私のもの

③ ～를/을 좋아해요　～が好きです

（最後にパッチムなし）＋를	축구	➡	축구를 좋아해요.
	サッカー		サッカーが　好きです。

（最後にパッチムあり）＋을	음악	➡	음악을 좋아해요.
	音楽		音楽が　好きです。

練 習

1 絵を見て、例のように「이, 그, 저」をつけて言ってみよう。

> 例   이 바나나 주세요.   このバナナ、ください。

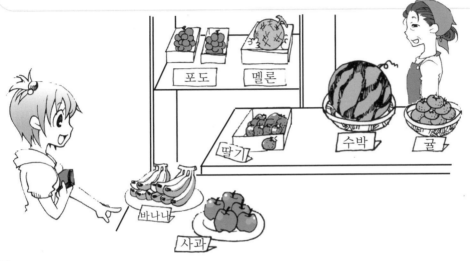

2 絵を見て、例のように言ってみよう。

> 例
> 누나
>
> A: 이 티셔츠 누구 거예요?
> B: 누나 거예요.

①

② ③

④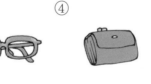

⑤

① 언니   ② 선생님   ③ 선배   ④ 친구   ⑤ 형

포도 : ぶどう	멜론 : メロン	귤 : みかん	수박 : すいか
딸기 : いちご	손수건 : ハンカチ	우산 : 傘	안경 : メガネ
지갑 : 財布	선배 : 先輩	핸드폰 : 携帯電話	

③ 次の各文で（　　）の中の助詞はどちらが正しいか、丸をつけよう。

① 비빔밥(를 / 을) 좋아해요.

② 불고기(를 / 을) 좋아해요.

③ 여행(를 / 을) 좋아해요.

④ 배드민턴(를 / 을) 좋아해요.

④ 例のように、有紀の好きなものを言ってみよう。

> 例　유키는 음악을 좋아해요.　　有紀は音楽が好きです。

⑤ 例のように、自分の好きなものを言ってみましょう。

> 例　저는 스포츠를 좋아해요.　　私はスポーツが好きです。

비빔밥[--빱]：ビビンバ	불고기：プルコギ	여행：旅行
코코아：ココア	만화 [마놔]：漫画	

말 마당 (ことばの広場) ⑧　교실 (教室)

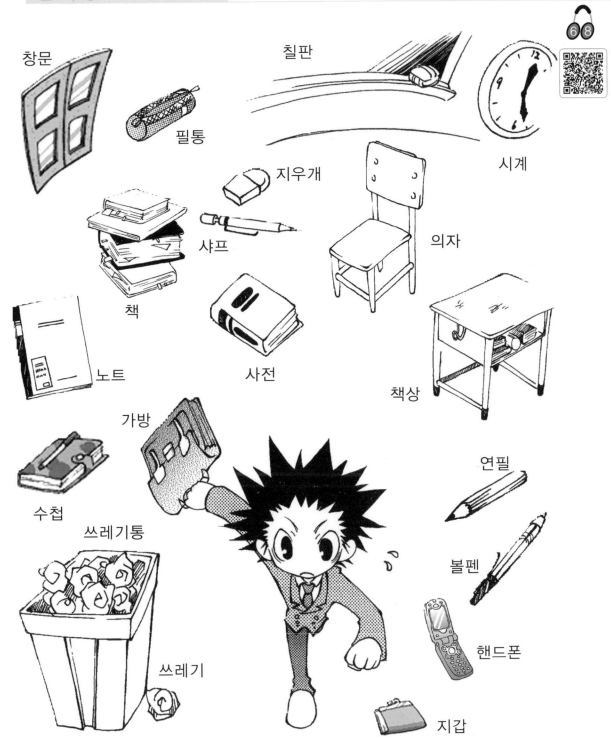

창문

필통

칠판

시계

지우개

샤프

의자

책

사전

책상

노트

가방

연필

수첩

쓰레기통

볼펜

핸드폰

쓰레기

지갑

⊙ **쇼핑** 買い物をしよう

⊙ 韓国のお金

천원　　오천원　　만원　　오만원

십원　　오십원　　백원　　오백원

⊙ 数え方

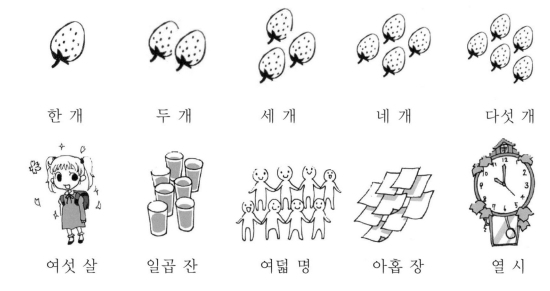

한 개　　두 개　　세 개　　네 개　　다섯 개

여섯 살　　일곱 잔　　여덟 명　　아홉 장　　열 시

⊙ いろいろな買い物の表現

와, 싸다!
わあ、安い!

비싸요.
高いです。
좀 깎아 주세요.
すこし まけてください。

第6課 뭐 하고 싶어요?

何がしたいですか。

有紀がソナに週末に出かけたい所をたずねています。

유키 : 주말에 어디 가고 싶어요?

선아 : 교토에 가고 싶어요.

유키 : 교토에서 뭐 하고 싶어요?

선아 : 사진을 많이 찍고 싶어요.

語 句

◇ 주말	週末
◇ 가고 싶어요〔?〕	行きたいです〔か〕←가(다):行く+고 싶어요〔?〕
◇ 교토	京都
◇ ~에서	~で
◇ 하고 싶어요?	したいですか←하(다):する+고 싶어요?
◇ 사진	写真
◇ ~을	~を
◇ 많이	たくさん
◇ 찍고 싶어요	撮りたいです←찍(다):撮る+고 싶어요

発 音

◇ 많이 　[마니]

訳

有紀：週末、どこに行きたいですか。
ソナ：京都に行きたいです。
有紀：京都で何をしたいですか。
ソナ：写真をたくさん撮りたいです。

말마당 (ことばの広場) ⑨　동사 (動詞)

가다(行く)　　　　보다(見る)　　　　입다(着る)

먹다(食べる)　　　마시다(飲む)

찍다(撮る)　　　　놀다(遊ぶ)　　　　사다(買う)

学習のポイント

1 用言（動詞や形容詞）について

　韓国朝鮮語の動詞や形容詞の基本形はすべて「−다」という語尾で終わり、辞書にはこの形が載っています。語尾の「−다」をとった部分を「語幹」と言います。

<基本形>　가 다 行く　　먹 다 食べる
　　　　　↑ ↑　　　　↑ ↑
　　　　語幹 語尾　　語幹 語尾

2 −고 싶어요　−(し)たいです

　「−(し)たいです」という希望や願望を表す場合は、動詞の基本形の語尾「−다」を「−고 싶어요」に付け替えます。

보다　　➡　　보고 싶어요
見る　　　　　　見たいです

먹다　　➡　　먹고 싶어요
食べる　　　　　食べたいです

3 ～를/을　～を

　日本語の「～を」のように、目的語を表す助詞です。「～」に入ることばの最後にパッチムがないときは「를」を、パッチムがあるときは「을」をつけます。

(最後にパッチムなし) ＋를　　주스　　➡　　주스를
　　　　　　　　　　　　ジュース　　　　　ジュース を

(最後にパッチムあり) ＋을　　사진　　➡　　사진을 [사지늘]
　　　　　　　　　　　　写真　　　　　　　写真 を

4 ～에서　～で

日本語の「～で」のように、場所を表す助詞です。「～」に入ることばの最後にパッチムがあってもなくても「에서」を付けますが、パッチムに続くときは「連音」となるので発音に注意しましょう。

학교에서　　　　　식당에서
学校　で　　　　　食堂　で

💡「～에서」は「어디서（どこで）」「거기서（そこで）」のように、「～서」となることがあります。

練 習

1 例のように、次の単語の「語幹」を丸で囲み、「-고 싶어요」を付けて言ってみよう。

例 （먹）다 ➡ 먹고 싶어요.
食べる 食べたいです。

① 놀다 　　② 입다 　　③ 마시다

④ 사다 　　⑤ 보다 　　⑥ 찍다

2 次の各文で（　　）の中の助詞はどちらが正しいか、丸をつけよう。

① 비빔밥(를 / 을) 먹고 싶어요.
② 떡볶이(를 / 을) 먹고 싶어요.
③ 한국 영화(를 / 을) 보고 싶어요.
④ 앨범(를 / 을) 보고 싶어요.
⑤ 한일 사전(를 / 을) 사고 싶어요.
⑥ 컴퓨터(를 / 을) 사고 싶어요.

떡볶이：トッポッキ(ピリ辛もち炒め)	영화 ：映画
앨범：アルバム	한일 사전：韓日辞書

③ 下の世界地図を見て、例のように行きたいところ、そこでしたいことを言って
みよう。

例　A: 어디 가고 싶어요?	どこに行きたいですか。
B: 한국에 가고 싶어요.	韓国に行きたいです。
A: 거기서 뭐 하고 싶어요?	そこで何をしたいですか。
B: 갈비구이를 먹고 싶어요.	焼肉を食べたいです。

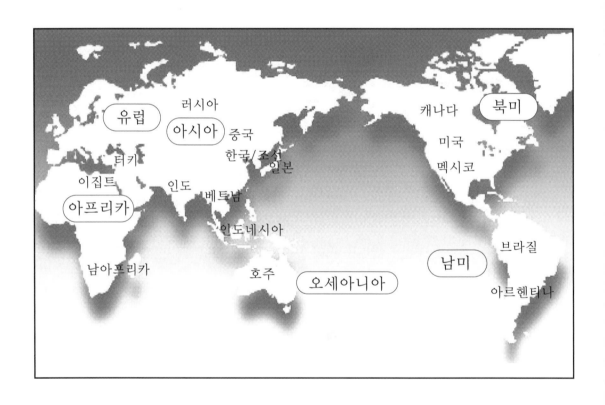

유럽
러시아
아시아　중국
한국/조선
일본
터키
이집트　인도
베트남
아프리카
인도네시아
남아프리카
호주
오세아니아
캐나다　북미
미국
멕시코
브라질
남미
아르헨티나

거기서 : そこで　　　　　갈비구이 : 焼肉

말 마당 （ことばの広場）⑩ 음식 I （食べ物 I）

샌드위치

햄버거

핫도그

아이스크림

빵

케이크

떡볶이

호떡

팥빙수

커피

녹차

홍차

물

콜라

주스

第7課 일요일에는 기타 연습을 해요.

日曜日にはギターの練習をします。

ソナとヨンチョルが日曜日にすることをたずねあっています。

선아 : 일요일에는 보통 뭐 해요?

영철 : 집에서 기타 연습을 해요.

　　　 선아 씨는 뭐 해요?

선아 : 아침에는 일본어 공부를 해요.

영철 : 오후에는 뭐 해요?

선아 : 쇼핑해요.

語 句

◈ 일요일	日曜日		◈ ~에는	~には
◈ 보통	普通		◈ 해요〔?〕	します〔か〕←하(다)：する
◈ 기타	ギター		◈ 연습	練習
◈ 아침	朝		◈ 일본어	日本語
◈ 공부	勉強		◈ 오후	午後
◈ 쇼핑해요	買い物します←쇼핑하다：買い物する			

訳

ソ　　ナ	：日曜日は普通、何しますか。
ヨンチョル	：家でギターの練習をします。
	ソナさんは何しますか。
ソ　　ナ	：朝は日本語の勉強をします。
ヨンチョル	：午後は何しますか。
ソ　　ナ	：買い物します。

말 마당 (ことばの広場) ⑪　　「하다」を付けると動詞になる名詞

공부 (勉強)

아르바이트 (アルバイト)

일 (仕事)

전화 (電話)

식사 (食事)

주문 (注文)

소개 (紹介)

안내 (案内)

약속 (約束)

学習のポイント

① 名詞 + 하다 ～する

「하다」は「する」という意味の動詞で、日本語の「する」と同じように、いろいろな名詞に付いて「～する」という動詞になります。

연습 + 하다 ➡ 연습하다
練習　　する　　　　練習する

쇼핑 + 하다 ➡ 쇼핑하다
ショッピング　する　　　　ショッピングする

사랑 + 하다 ➡ 사랑하다
愛　　　する　　　　愛する

② 해요形 〈その1〉

日本語の「です・ます体」にあたり、日常的によく使われる言い方を「해요体」といいます。

하다 ➡ 해요
する　　　　します

쇼핑하다 ➡ 쇼핑해요
ショッピングする　　ショッピングします

文末を上げて発音すれば疑問文になり、下げて発音すれば平叙文になります。

오늘도 아르바이트해요?　　　　今日もアルバイトしますか。
－네, 해요.　　　　　　　　　　－はい、します。

③ 曜日

日曜日	月曜日	火曜日	水曜日
일요일	월요일	화요일	수요일
木曜日	金曜日	土曜日	何曜日
목요일	금요일	토요일	무슨 요일 [무슨뇨일]

練 習

1 例のように、絵を見て問いに答えよう。

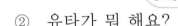

例　Q: 유키가 뭐 해요?
　　A: 공부해요.

① 영철이가 뭐 해요?

② 유타가 뭐 해요?

③ 유키가 뭐 해요?

④ 유타가 뭐 해요?

2 例のように、絵を見て問いに答えよう。

例　Q: 무엇을 공부해요?
　　A: 수학을 공부해요.

수학

① 무엇을 주문해요?

김밥

② 어디를 안내해요?

학교

수학 : 数学　　　김밥 : のりまき

③ 누구를 소개해요?

④ 어디를 방문해요?

교토

유학생

③ 下の絵を見て例のように対話してみよう。

例　A: 무슨 요일에 한국어 수업이 있어요?　何曜日に韓国語の授業がありますか。
　　B: 금요일에 있어요.　　　　　　　　　金曜日にあります。

例　A: 무슨 요일에 아르바이트해요?　何曜日にアルバイトしますか。
　　B: 수요일에 해요.　　　　　　　　水曜日にします。

월요일	화요일	수요일	목요일
영어 공부	피아노 연습	아르바이트	수영

금요일	토요일	일요일
한국어 공부	요리	쇼핑

유학생 : 留学生　　방문하다 : 訪問する　　교토 : 京都　　수업 : 授業
영어 : 英語　　피아노 : ピアノ

말 마당 (ことばの広場) ⑫　취미 (趣味)

독서

음악 감상

영화 감상

노래

악기 연주

댄스

쇼핑

여행

요리

스포츠 관람

인터넷

게임

사진 찍기

스티커 모으기

잠자는 것

第8課 뭐 먹어요?

何を食べますか。

ソナとヨンチョルが食堂で食券を買おうとしています。

선아 : 영철 씨는 뭐 먹어요?

영철 : 카레라이스하고 샐러드요.

　　　선아 씨는요?

선아 : 전 우동이요.

영철 : 다른 건 안 먹어요?

선아 : 네.

語 句

◆ 먹어요?　　　食べますか←먹(다) : 食べる＋어요?
◆ 카레라이스　　カレーライス
◆ 샐러드　　　　サラダ
◆ ～는요?　　　～は？(～は何を食べますか)
◆ 전　　　　　　私は←「저는」の縮約形
◆ 우동　　　　　うどん
◆ 다른 건　　　　他のものは←「다른 것은」の縮約形
◆ 안 －　　　　　－しない

◆ ～하고　　～と
◆ ～요　　　～です

◆ ～이요　　～です

発 音

◆ 선아씨는요　　[서나씨는뇨]

94

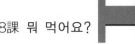

訳

```
ソ    ナ：ヨンチョルさんは何を食べますか。
ヨンチョル：カレーライスとサラダです。
         ソナさんは?
ソ    ナ：私はうどんです。
ヨンチョル：他のものは食べないんですか。
ソ    ナ：ええ。
```

말 마당 (ことばの広場) ⑬　　語幹末にパッチムがある用言

살다(住む、暮らす)

알다(知る、わかる)

만들다(作る)

읽다(読む)

맛있다(おいしい)

좋다(良い)

싫다(嫌だ)

많다(多い)

学習のポイント

1 해요形〈その2〉

この課では「하다」以外の用言(動詞や形容詞)の「해요形」を学習します。

(1)「하다」以外の用言を丁寧な言い方にするには、基本形の語尾「-다」を、丁寧を表す語尾「-아요/어요(-です、ます)」に付け替えます。このとき、語幹の最後の母音が「ㅏ」・「ㅗ」(陽母音語幹)なら「-아요」を、「ㅏ」・「ㅗ」以外(陰母音語幹)なら「-어요」をつけます。

陽 〈語幹末の母音が「ㅏ」・「ㅗ」の場合〉

　　좋다　　　　좋+아요 ➡　　　좋아요

　　　　良い　　　　　　　　　　　　　　良いです

陰 〈語幹末の母音が「ㅏ」・「ㅗ」以外の場合〉

　　먹다　　　　먹+어요 ➡　　　먹어요

　　　　食べる　　　　　　　　　　　　　食べます

(2)「해요形」は文末のイントネーションによって、平叙、疑問のほか、勧め・指示(どうぞ～してください)や誘い(～しましょう)を表すこともできます。

김치를 먹어요?	キムチを食べますか。
-네, 먹어요.	-はい、食べます。
이거 먹어요.	これ、どうぞ(食べてください)。
같이 먹어요.	一緒に食べましょう。

※「먹어요」のような「해요形」で「-しています」「-するんです」という意味を表すこともできます。

지금 뭐 해요?	今、何してるんですか。
-한국어를 공부해요.	-韓国語を勉強しています。

② ～요/이요　～です

　質問に対して単語だけで簡単な受け答えなどをする場合、その単語に「～요/이요」を付けると丁寧なニュアンスを加えることができます。文末を上げて発音すれば疑問文になり、文末を下げて発音すれば平叙文になります。

뭐 먹어요? 카레라이스요?　　何、食べますか。カレーライスですか。

- 네, 카레라이스**요**.　（←카레라이스를 먹어요.）
  はい、カレーライスです。　　カレーライスを食べます。
- 아뇨, 우동**이요**.　　（←우동을 먹어요.）
  いいえ、うどんです。　　うどんを食べます。

💡単語に助詞が付いた句などの場合には、その部分の最後にパッチムがあってもなくても「요」を付けます。

전 도서관에 가요. 선아 씨는요?　　私は図書館に行きます。ソナさんは?

③ 안 －　 －（し）ない、－（く）ない

　動詞・形容詞の前に「안」をつけると否定の意味になります。ただし、「名詞＋하다」の動詞の場合は、「名詞＋안 하다[아나다]」となります。

먹어요　　食べます　　➡　**안** 먹어요　　食べません

좋아요　　良いです　　➡　**안** 좋아요　　良くないです

쇼핑해요　ショッピングします➡　쇼핑 **안** 해요　　ショッピングしません

💡「좋아해요(好きです)」は、「名詞＋하다」ではないので「안 좋아해요(好きではありません)」になります。また、「있다(いる/ある)」「알다(知る、わかる)」などを否定する時は、「없다(いない/ない)」「모르다(知らない、わからない)」のような反意語を使います。

④ ～하고　～と

　「～하고」は、日本語の「～と」のようにことばを並べる場合に使う助詞です。「～」に入ることばの最後にパッチムがあってもなくても「～하고」が付きますが、発音に注意しましょう。

샤프**하고** 볼펜　　　　책**하고** 노트[채카고 노트]
シャーペンと ボールペン　　本 と ノート

練 習

1. 例のように、次の単語の「語幹」を丸で囲み、語幹末の母音を抜き出してみよう。
そして、「-아요」または「-어요」をつけて「해요形」で言ってみよう。

例

먹다

㉿다 (食べる) ➜ ㅓ ➜ 먹어요. (食べます)

① 알다

② 놀다

③ 입다

④ 읽다

⑤ 좋다

⑥ 만들다

⑦ 많다

⑧ 찍다

⑨ 맛있다

2. 例のように、絵を見て質問に答えよう。

例　Q: 선아가 뭐 먹어요?
　　A1: 햄버거를 먹어요.
　　A2: 햄버거요.

햄버거 : ハンバーガー

① 설날에 뭐 입어요?

한복

② 영철이가 뭐 만들어요?

카레라이스

③ 선아가 뭐 읽어요?

추리소설

④ 선아가 뭐 찍어요?

오사카성

③ 例のように、質問に答えよう。

| 例 | Q: 숙제가 많아요? | 宿題が多いですか。 |
| | A: 아뇨, 안 많아요. | いいえ、多くないです。 |

① 스포츠를 좋아해요?　　② 매일 낫토를 먹어요?
③ 일요일에는 친구하고 놀아요?　　④ 집에서 요리해요?
⑤ 설날에 기모노를 입어요?

한복〈韓服〉
女性が着るチマチョゴリ、男性が着る
パジチョゴリなど、伝統衣装を総称
して「한복」と言います。

설날[설랄] : 正月	한복 : チマチョゴリ	추리소설 : 推理小説
오사카성 : 大阪城	숙제 : 宿題	매일 : 毎日
낫토 : 納豆	기모노 : 着物	

교바시 역에서 만나요.

京橋駅で会いましょう。

有紀とソナが明日の予定を相談しています。

유키 : 선아 씨, 내일 약속이 있어요?

선아 : 아뇨, 없어요.

유키 : 그럼, 같이 교토에 가요.

선아 : 와, 정말요?

　　　 교토까지 어떻게 가요?

유키 : 전철로 가요.

　　　 우리 교바시 역에서 만나요.

語 句

◆ 내일	明日	◆ 약속	約束
◆ 같이	一緒に	◆ 가요	行きましょう← 가(다)+아요
◆ 와	わあ	◆ 정말요?	本当ですか← 정말:本当+요?
◆ ~까지	~まで	◆ 어떻게	どのように
◆ 가요〔?〕	行きます〔か〕	◆ 전철	電車
◆ ~로	~で	◆ 교바시	京橋
◆ 역	駅		
◆ 만나요	会いましょう←만나(다):会う+아요		

※ 「우리(私たち)」は「～しましょう」と提案するとき、よく使われます。

発 音

◆ 같이　[가치]　　◆ 정말요　[정말료]　　◆ 어떻게　[어떠케]

訳

有紀：ソナさん、明日約束がありますか。
ソナ：いいえ、ありません。
有紀：じゃあ、京都へ一緒に行きましょう。
ソナ：わあ、本当ですか。京都までどうやって行きますか。
有紀：電車で行きます。京橋駅で会いましょう。

말 마당 (ことばの広場) ⑭　語幹末にパッチムがない用言

나오다(出てくる)

가다(行く)

마시다(飲む)

보다(見る)

일어서다(立ち上がる)

배우다(習う)

만나다(会う)

쉬다(休む)

자다(寝る)

学習のポイント

① 해요形 〈その3〉

第7課と第8課で「해요形」について学びましたが、ここでは語幹末にパッチムがない動詞や形容詞の「해요形」について学びます。 語幹末にパッチムがない場合に「-아요/어요」が付くとほとんどの場合、語幹末の母音と「아/어」が縮約されます。

陽 〈語幹末の母音が「ㅏ」・「ㅗ」の場合〉

가다　　　　　　가　　＋아요 ➡　　가요
行く　　　　　　　　　　　　　　　　　行きます

나오다　　　　나오 ＋아요 ➡　　나와요
出てくる　　　　　　　　　　　　　　　出てきます

陰 〈語幹末の母音が「ㅏ」・「ㅗ」以外の場合〉

일어서다　　　일어서+어요 ➡　　일어서요
立ちあがる　　　　　　　　　　　　　立ちあがります

배우다　　　　배우 ＋어요 ➡　　배워요
学ぶ　　　　　　　　　　　　　　　　学びます

마시다　　　　마시 ＋어요 ➡　　마셔요
飲む　　　　　　　　　　　　　　　　飲みます

 「～예요/이에요(～です)」は「～이다(～だ、～である)」の「해요形」です。

친구이다　→　친구예요　　　　대학생이다　→　대학생이에요
友だちだ　　友だちです　　　　大学生だ　　　　大学生です

 「하다」の語幹には「-아요/어요」ではなく本来「-여요」が付くのですが、実際には

「하여요」は使われず、縮約形である「해요」を使います。

하다　　　(하 + 여요)　→　　해요

② ～까지 （～まで）

「～까지」は「～まで」という、場所や時間の到達点を表す助詞です。ことばの最後にパッチムがあってもなくても「까지」を付けます。

교토까지　　　　　　금요일까지
京都　まで　　　　　　金曜日　まで

③ ～로/으로 　(～で)

　「～로」は手段を表す助詞です。 名詞の最後にパッチムがない場合は「로」が付き、パッチムがある場合は「으로」が付きます。ただし、「ㄹ」パッチムのときは「로」が付きます。

（パッチムのない名詞）＋로　　버스 ➡ 버스**로**
バス　　　　バスで

（パッチムのある名詞）＋으로　숟가락 ➡ 숟가락**으로**
スプーン　　スプーン　で

（ㄹパッチムのある名詞）＋로　연필 ➡ 연필**로**
鉛筆　　　　鉛筆　で

말 마당 (ことばの広場) ⑮　　乗り物

지하철　　　전철　　　버스

자전거　　　택시　　　배

비행기　　　KTX (케이티엑스)　　　고속버스

練 習

1 例のように次の単語の「語幹」を丸で囲み、語幹末の母音を抜き出してみよう。
そして「－아요」または「－어요」を付け、縮約して「해요形」にしよう。

例 일어서다 (立ち上がる) ➡ ㅓ ➡ 일어서요. (立ち上がります。)
일어서다

① 나오다

② 가다

③ 마시다

④ 보다

⑤ 배우다

⑥ 만나다

⑦ 쉬다

⑧ 자다

⑨ 가르치다

2 例のように韓国朝鮮語で言ってみよう。

> 例 숟가락 / 밥을 먹다 → 숟가락으로 밥을 먹어요.
> スプーンでごはんを食べます。

① 전철 / 학교에 오다
② 버스 / 후쿠오카에 가다
③ 핸드폰 / 사진을 찍다
④ 컴퓨터 / 그림을 그리다
⑤ 메일 / 연락을 하다

3 例のように韓国朝鮮語で言ってみよう。

> 例 역 / 걸어서 가다 → 역까지 걸어서 가요.
> 駅まで歩いて行きます。

① 학교 / 자전거로 가다
② 도쿄 / 신칸센으로 가다
③ 내일 / 시험이다※
④ 8월 31일 / 여름 방학이다※

※「～이다(～だ、である)」の「해요形」は、「～예요/이에요(～です)」です。

가르치다 : 教える	오다 : 来る	그림 : 絵	그리다 : 描く
메일 : メール	연락[열락] : 連絡	걸어서 : 歩いて	자전거 : 自転車
신칸센 : 新幹線	시험 : 試験	여름 방학 : 夏休み	

말마당 (ことばの広場) ⑯   음식 II （食べ物 II）

밥

파전

비빔밥

두부찌개

된장국

냉면

떡국

김치

나물

불고기

김밥

수저

접시

コラム ③ 親戚が集まる日

有紀：ヨンチョルは大家族やね。親戚のおばさんやおじさんと会うこと多いの？

英哲：うん、けっこう会うかな。「제사〈祭祀〉」っていって、日本の法事みたい
　　　なのがあるんやけど、そのチェーサの時とか、正月やお盆、合わせて少な
　　　くとも年に５〜６回は会うよ。

有紀：すごいなあ。うちは年に１回どころか、２〜３年に１回ぐらいかな。結
　　　婚式とかお葬式の時ぐらいしか会わへんよ。親戚がそんな多かったら、名
　　　前とか覚えるの大変なんちゃう？

英哲：ううん、そんなことないで。小さい頃から会うてるから。あ、でも、いと
　　　この子どもぐらいになるとわからへんこともあるけど。

有紀：ふーん。大家族やと大変なこともあるけど、お年玉、たくさんもらえて
　　　ええねえ。

英哲：僕はな。でも、親は大変みたいやけど。

107

第10課 마이코상은 못 봤어요.

舞妓さんは見ることができませんでした。

ソナと裕太が昨日の出来事を話しています。

선아 : 어제 유키 씨하고 같이 교토에 갔어요.

유타 : 어, 그래요? 재미있었어요?

선아 : 그럼요. 사진도 많이 찍었어요.

유타 : 마이코상도 봤어요?

선아 : 아뇨, 마이코상은 못 봤어요.

語 句

◈ 어제	昨日
◈ 갔어요	行きました←가(다)＋았＋어요
◈ 어	ああ、へえ
◈ 재미있었어요?	楽しかったですか←재미있(다)：楽しい＋었＋어요
◈ 그럼요	もちろんです
◈ 찍었어요	撮りました←찍(다)＋었＋어요
◈ 마이코상	舞妓さん
◈ 봤어요〔?〕	見ました〔か〕←보(다)＋았＋어요
◈ 못 －	－できない

発 音

◈ 그럼요　[그럼뇨]

訳

ソナ：昨日ユキさんと一緒に京都へ行ったんです。
裕太：そうですか。楽しかったですか。
ソナ：もちろんです。写真もたくさん撮りました。
裕太：舞妓さんも見ましたか。
ソナ：いいえ、舞妓さんは見ることができませんでした。

말마당 (ことばの広場) ⑰　　休日や旅先で

쇼핑하다 (買いものする)

구경하다 (見学する)

시장에 가다 (市場に行く)

공연을 보다 (公演を見る)

선물을 사다 (おみやげを買う)

재미있다 (おもしろい)

学習のポイント

1 過去形　-았/었/였-

（1）用言（動詞や形容詞）を過去の「해요形」にする場合、語幹の最後の母音が「ㅏ」・「ㅗ」（陽母音語幹）なら「았」を、「ㅏ」・「ㅗ」以外（陰母音語幹）なら「었」を、「～하다（～する）」には「였」を付けてさらに縮約形にし、最後に「어요」を付けます。

陽 〈語幹末の母音が「ㅏ」・「ㅗ」の場合〉

많다　　　많+았+어요　➡　많았어요
多い　　　　　　　　　　　　　　多かったです

陰 〈語幹末の母音が「ㅏ」・「ㅗ」以外の場合〉

있다　　　있+었+어요　➡　있었어요
ある　　　　　　　　　　　　　　ありました

하 〈「～하다（～する）」の場合〉

하다　　　하+였+어요　➡　했어요
する　　　　　　　　　　　　　　しました

（2）語幹末にパッチムがないときは、ほとんどの場合、縮約形になります。

陽 〈語幹末の母音が「ㅏ」・「ㅗ」の場合〉

사다　　　사+았+어요　➡　샀어요
買う　　　　　　　　　　　　　　買いました

보다　　　보+았+어요　➡　봤어요
見る　　　　　　　　　　　　　　見ました

陰 〈語幹末の母音が「ㅏ」・「ㅗ」以外の場合〉

배우다　　배우+었+어요　➡　배웠어요
学ぶ　　　　　　　　　　　　　　学びました

마시다　　마시+었+어요　➡　마셨어요
飲む　　　　　　　　　　　　　　飲みました

② 못 ─ ─できない

動詞の前に「못」をつけると「─できない」という不可能の意味になります。ただし、「名詞＋하다」の場合は、「名詞＋못 하다[모타다]」となります。過去形にも用いることができます。

가요　　　　　　　➡　　　못 가요
行きます　　　　　　　　　　行けません

공부해요　　　　　➡　　　공부 못 해요
勉強します　　　　　　　　　勉強できません

갔어요　　　　　　➡　　　못 갔어요
行きました　　　　　　　　　行けませんでした

공부했어요　　　　➡　　　공부 못 했어요
勉強しました　　　　　　　　勉強できませんでした

※ 次のような場合は発音が変化するので注意しましょう。

못 먹어요　　　[몬머거요]

못 와요　　　　[모돠요]

못 읽어요　　　[몬닐거요]

練 習

1 次の単語を過去の해요形にして言ってみよう。

① 알다

② 자다

③ 전화하다

④ 읽다

⑤ 좋다

⑥ 만나다

⑦ 배우다

⑧ 마시다

⑨ 맛있다

2 例のように次の文章を過去形にして言ってみよう。

> 例　햄버거를 먹어요.　➡　햄버거를 먹었어요.
> ハンバーガーを食べます。　ハンバーガーを食べました。

① 늦게 자요.
② 주스를 마셔요.
③ 영화를 봐요.
④ 한복을 입어요.
⑤ 시간이 없어요.
⑥ 친구하고 약속해요.

늦게 : 遅く　　영화 : 映画

③ となりの人と次の質問をたずね合ってみよう。

① 어제 뭐 했어요?

② 아침에 뭐 먹었어요?

③ 어제 TV 봤어요?

④ 무슨 프로 봤어요?

⑤ 재미있었어요?

④ 例のように「못」を用いて質問に答えよう。

例	A: 어제 노래방 갔어요?	昨日カラオケ、行きましたか。
	B: 아뇨, 못 갔어요.	いいえ、行けませんでした。

① 컴퓨터 샀어요?

② 사진 찍었어요?

③ 친구 만났어요?

④ 식사했어요?

⑤ 昨日のことや先週末のできごとを言ってみよう。

아침에 : 朝、朝に　　무슨 프로 : 何の番組　　노래방 : カラオケ（ボックス）

─────── コラム④ ハルモニの話し ───────

　　在日韓国朝鮮人は、すでに何代にもわたって日本に住んでいることが多いのですが、親族が集まり、「차례〈茶禮〉(お盆や正月の先祖儀礼)」や「제사〈祭祀〉(命日の先祖儀礼)」をする習慣の残っている家庭もあります。

　　屏風の前にお膳を置き、お膳の上には季節の果物や新米で作った酒、餅 、ご飯、スープなどのご馳走を供え、祖先に対する感謝の気持ちを表します。

　　今日は、ひいおじいさんのチェーサ(제사)の日。ヨンチョルがハルモニ(할머니)に昔のことを聞くと、ハルモニはひと言ひと言かみしめるように話してくれました。

…… わたしが日本に来たのは5歳のときやった。 そのときは、ウリナラ(우리나라:私たちの国)は日本の植民地になっていて、ごはんも満足に食べられへんかったから、たくさんの人が仕事を探しに、ふるさとを離れて日本にやってきた。 先に日本に行ってたアボジを追って、オモニといっしょに船に乗って大阪に来たんや。そのころは朝鮮人に対する差別がひどうて、ろくな仕事もないからきつい仕事ばっかり転々とやってた。学校なんか行く余裕もないから、字もちゃんとならってへん。

　　ほんまに貧乏やったけど、みんなでなんとか助けおうて生きてきた。 歌とか踊りとかが大好きで、人が集まったらすぐ歌ったり踊ったりするんや。 大きな缶をチャング(장구:韓国朝鮮の打楽器)の代わりにたたいてなあ。

　　つらいことゆうたら、健康保険に入られへんのがつらかったなあ。 あんたのお父ちゃんは体が弱くて、ぜん息の発作がしょっちゅう起こるんやけど、保険もないし、お金もあれへん。一晩中苦しんでる背中をさすりながら……。 ほんまにつらかったなあ。ずっと貧乏やったから、背中に子どもをおんぶして内職の仕事してたなあ。

　　子どもが大きなって、やっと時間ができてから、夜間中学に入って字をなろうたんやで。 初めて電車の切符が自分で買えたときは、ほんまに嬉しかった……。 目の前の世界がいっぺんに広うなったような気がしたわ。

　　ヨンチョル、ハルモニはおまえがウリマル(우리 말:私たちのことば)をなろてんのがほんまにうれしい。日本で生まれ育っても、自分とゆうもんの「根っこ」はなんかということを、しっかり考えてほしいし、周りの友だちとも、お互いに自分のことをちゃんとわかって仲良うつきおうてほしいんや。

　　どうや、何をなろたんか、ちょっと言うてみい……。

114

単語リスト(韓国朝鮮語 → 日本語)

記号の説明

~ ： ～の部分に名詞が入る

[ ]： 発音表記 (特に必要と思われる場合のみ表示。
発音変化のない部分は一部'−'で表した。)

〈 〉： 漢字表記
(漢字で表記できない部分は'−'で表した。)

〔(漢数)単位〕： 漢字語数詞につく単位名詞

〔(固数)単位〕： 固有語数詞につく単位名詞

ㄱ

~가	～が
가고 싶어요	行きたいです
가다	行く
가방	かばん
가수<歌手>	歌手
가요[?]	行きます、行きましょう
가을	秋
가족<家族>	家族
간호사[가노사]	看護師
감사합니다<感謝−>[감사합니다]	ありがとうございます
감상<鑑賞>	鑑賞
갔어요	行きました
강<姜>	カン(姓)
강강술래	カンガンスルレ、輪になって踊る踊り
강아지	子犬
같이 [가치]	一緒に
~개<箇>〔(固数)単位〕	～個
개	犬
거기	そこ
거	もの
거기서	そこで
건	ものは(「것은」の縮約)
걸어서	歩いて
게임	ゲーム
겨울	冬
겨울 방학<−放學>[빵학]	冬休み
계절<季節>[게절]	季節
고사<考査>	考査
−고 싶어요	-(し)たいです
고등학교<高等學校>	高等学校
고등학생<高等學生>	高校生
고맙습니다[고맙씀니다]	ありがとうございます
고모<姑母>	(父方の)おば
고베	神戸
고속버스<高速−>	高速バス
고양이	ネコ
고추	唐辛子
공<空>	ゼロ、0
공부<工夫>	勉強
공연<公演>	公演
공원<公園>	公園
괜찮아요 [괜차나요]	大丈夫です、かまいません
교과서<敎科書>	教科書
교바시	京橋
교실<敎室>	教室
교토	京都
구<九>	九、9
구경하다	見物する
구월<九月>	9月
국	スープ
귀걸이	イアリング
귤	みかん
그 ~	その ～
그거	それ
그것	それ
그네뛰기	ぶらんこ(伝統的な遊び)
그래요(?)	そうです(か)
그럼	では、じゃあ
그럼요 [그럼뇨]	もちろんです
그리다	描く
그림	絵

근처<近處>	近所、近く	노트	ノート
금요일<金曜日>	金曜日	녹차<綠茶>	緑茶
기말<期末>	期末	놀다	遊ぶ
기말 고사<期末考査>	期末考査	농구<籠球>	バスケットボール
기모노	着物	누가	誰が
기타	ギター	누구	誰
김<金>	キム(姓)	누나	姉(←弟)
김밥	のり巻き	눈	目
김선아<金善雅>	キム・ソナ	~는	~は
김치	キムチ	~는요?[는뇨]	~は?
~까지	~まで	늦게	遅く
까치	カササギ		
깎아 주세요	まけてください	**ㄷ**	
꽃	花		
		다	みんな、全部
ㄴ		다 같이	みんな一緒に
		다도부<茶道部>	茶道部
나	僕、わたし	다른 ~	ほかの~
나라	国	다섯	五つ、五つの~
나물	ナムル	다섯 개	五個
나오다	出てくる	다시	再び
나카야마 유타	中山裕太	다시 한번	もう一度
남궁<南宮>	ナムグン(姓)	다코야키	たこやき
남미<南美>	南米	단오절<端午節>	端午の節句
남아프리카<南->	南アフリカ	대학생<大學生>	大学生
남자<男子>	男、男の人、男性	대회<大會>	大会
남자 친구<男子親舊>	ボーイフレンド、男友だち	댄스	ダンス
낫토	納豆	더	もっと
내가	私が、僕が	더 크게	もっと大きく、
내일<來日>	明日		もっと大きい声で
냉면<冷麵>	冷麺	~도	~も
냉장고<冷藏庫>	冷蔵庫	도서관<圖書館>	図書館
너	お前、君、あんた	도쿄	東京
널뛰기	板跳び	독서<讀書>	読書
네	はい	동사<動詞>	動詞
네 ~	四つの~	동생<同生>	弟、妹
네 개	四個	돼지	豚
넷	四つ	된장국<-醬->	デンジャンスープ(みそ汁)
노래	歌	두	二つの~
노래방<-房>	カラオケボックス	두 개	二個、二つ

두부 찌개<豆腐－>	豆腐チゲ	말마당	ことばの広場
둘	二つ	말하기 대회<－大會>[마라기－]	
뒤	後ろ		スピーチコンテスト
드라마	ドラマ	말해 보자[마래보자]	言ってみよう
들으세요	聞いてください	맛이 있다	おいしい
디브이디	DVD	맛이 있어요	おいしいです
따라 해 보세요	あとについて言ってみて	맛있다[마실따]	おいしい
	ください	맛있어요[마시써요, 마디써요]	
따요	摘みます		おいしいです
딸기	イチゴ	매일<每日>	毎日
떡국	トック(餅スープ)	먹다	食べる
떡볶이	トッポッキ(ピリ辛もち炒め)	먹어요	食べます
또	また	멜론	メロン
또 오세요	また来てください	메일	メール
		멕시코	メキシコ
		며칠	何日

ㄹ

량<梁>	リャン(姓)	~명<名>[(固数)単位]	～名、～人
러시아	ロシア	몇~	何～(数を尋ねる)
럭비	ラクビー	몇 번<－番>	何番
~로	～で	몇 월<－月>[며뒬]	何月
~를	～を	모르겠어요	わかりません
(~를) 좋아해요	(～が)好きです	모자<帽子>	帽子
리<李>	リー(姓)	목걸이	ネックレス
림<林>	リム(姓)	목요일<木曜日>	木曜日
		못 －	できない
		무슨~	何の～

ㅁ

마시다	飲む	무슨 부<－部>	なに部
마음	心	무슨 요일<－曜日>[무슨뇨일]	
마이코상	舞妓さん		何曜日
마트	スーパーマーケット	무엇	何
만<萬>	万	문화<文化>[무놔]	文化
만나다	会う	물	水
만나요	会います、会いましょう	뭐	何
만들다	作る	미국<美國>	アメリカ
만화<漫畫>[마놔]	漫画	미술부<美術部>	美術部
만화책<漫畫冊>[마놔－]	漫画、漫画本	미안해요<未安－>[미아내요]	
많다[만타]	多い		すみません
많이[마니]	たくさん	밑	真下、底
말	ことば		

ㅂ

바나나	バナナ
바다	海
바둑부<－部>	囲碁クラブ
바지	ズボン
박<朴>	パク(姓)
박영철<朴英哲>	パク・ヨンチョル
밖	外
반<班>	クラス、組
반갑습니다[반갑씀니다]	(お会いできて)うれしいです
발렌타인데이	バレンタインデー
발음<發音>	発音
밤	夜
밥	ご飯
방<房>	部屋
방문<訪問>	訪問
방송부<放送部>	放送部
밭	畑
배	船
배구<排球>	バレーボール
배낭<背囊>	リュックサック、ナップザック
배드민턴	バトミントン
배우다	学ぶ、習う
배추	白菜
백<百>	百
백 원<百－>	100ウォン
버스	バス
베트남	ベトナム
벨트	ベルト
병원<病院>	病院
보다	見る
보세요	見てください
보통<普通>	普通
볼펜	ボールペン
봄	春
봄 방학<－放學>[－빵학]	春休み
봐요	見ます、見ましょう

봤어요	見ました
~부<部>	～部
북미<北美>[붕미]	北米
불고기	プルコギ
붕어빵	たい焼き
브라질	ブラジル
비	雨
비빔밥[비빔빱]	ビビンバ
비싸요	(値段が)高いです
비행기<飛行機>	飛行機
빵	パン
빵집	パン屋

ㅅ

사<四>	4
사계절<四季節>[사계절]	四季
사과<沙果>	りんご
사다	買う
사람	人
사랑	愛
사랑하다	愛する
사월<四月>	4月
사전<辭典>	辞書
사진<寫眞>	写真
사진 찍기<寫眞－>	写真を撮ること
사진부<寫眞部>	写真部
사학년<四學年>[사항년]	4年生
~살[(固数)単位]	～歳
살다	住む、生きる、暮らす
삼<三>	3
삼월<三月>	3月
삼학년<三學年>[사망년]	3年生
샌드위치	サンドイッチ
샌들	サンダル
샐러드	サラダ
생일<生日>	誕生日
샤프	シャーペン
서<徐>	ソ(姓)

서예부＜書藝部＞	書道部	쉬어요	休みます、休みましょう
서울	ソウル	쉬워요	易しいです
서점＜書店＞	書店、本屋	스웨터	セーター
선물＜膳物＞	プレゼント、贈り物	스티커 모으기	プリクラ集め
선배＜先輩＞	先輩	스포츠	スポーツ
선생님＜先生 －＞	先生	스포츠 관람＜－觀覽＞[스포츠 괄람]	
선수＜選手＞	選手		スポーツ観戦
설	正月	～시＜－時＞[(固数)単位]	～時
설날	正月、元旦	시간＜時間＞	時間
세 ～	三つの～	시계＜時計＞	時計
세 개＜－箇＞	三個	시끄러워!	うるさい!
세배＜歳拜＞	新年のあいさつ	시월＜十月＞	10月
세뱃돈＜歳拜－＞	お年玉	시작합시다＜始作－＞[시자캅씨다]	
세종＜世宗＞	セジョン		始めましょう
	(朝鮮王朝第四代王)	시장＜市場＞	市場
셋	三つ	시험＜試驗＞	試験
소개＜紹介＞	紹介	식당＜食堂＞	食堂
소설＜小說＞	小説	식사＜食事＞	食事
소풍＜逍風＞	遠足	신발	履物、靴
속	中、奥	신칸센	新幹線
손수건＜－手巾＞	ハンカチ	실은＜實－＞	実は
송편＜松 －＞	ソンピョン(松の葉を敷い	싫다[실타]	嫌だ、嫌い
	て蒸したあん入り団子)	십＜十＞	10
쇼핑	ショッピング、買い物	십이월＜十二月＞	12月
쇼핑하다	買い物する	십일월＜十一月＞	11月
쇼핑해요	買い物します	싸다	安い
수박	すいか	써 보세요	書いてみてください
수업＜授業＞	授業	쓰다	書く
수영＜水泳＞	水泳	쓰레기	ゴミ
수영부＜水泳部＞	水泳部	쓰레기통＜－桶＞	ゴミ箱
수요일＜水曜日＞	水曜日	～ 씨＜～氏＞	～さん
수저	箸とスプーン	씨름	相撲
수첩＜手帖＞	手帳	○	
수학＜數學＞	数学	아	ああ
수학 여행＜修學旅行＞[수항녀행]		아뇨	いいえ
	修学旅行		(「아니요」の縮約形)
숙제＜宿題＞	宿題	아니에요	違います
숟가락	スプーン	아니요	いいえ
쉬다	休む		

119

韓国朝鮮語	日本語	韓国朝鮮語	日本語
아래	下	어떻게[어떠케]	どのように
아르바이트	アルバイト	어린이 날	子どもの日
아르헨티나	アルゼンチン	어머	あら
아버지	父、お父さん	어머니	母、お母さん
아스카고등학교<－高等學校>	あすか高校	어서 오세요	いらっしゃいませ
		어제	昨日
아시아	アジア	언니	姉（←妹）
아이	子ども	언제	いつ
아이스크림	アイスクリーム	얼마	いくら
아저씨	おじさん	없다[업따]	ない、いない
아침	朝、朝ごはん	없어요[업써요]	ありません、いません
아프리카	アフリカ	～에	～に
아홉	九つ、九つの～	～에는	～には
아홉 장<－張>	九枚	～에서	～で
악기<樂器>	楽器	～에서는	～では
악기 연주<樂器演奏>	楽器の演奏、バンド	에어컨	エアコン
안－	－しない	에이	A
안	中、内	여기	ここ
안<安>	アン(姓)	여기 있습니다	はい、これ（ものを手渡す時に言うことば）
안경<眼鏡>	めがね		
안내<案内>	案内	여덟[여덜]	八つ、八つの～
안녕!<安寧>	元気？おはよう！バイバイ！	여덟 명<－名>	八名、八人
안녕하세요?<安寧－>	こんにちは	여름	夏
안녕히 가세요<安寧－>	さようなら（立ち去る人へ）	여름 방학<－放學> [－빵학]	夏休み
안녕히 계세요<安寧－>[－계세요]	さようなら（残る人へ）	여섯	六つ、六つの～
알겠어요	わかります	여섯 살	六歳
알겠습니다	わかります	여자<女子>	女、女の人、女性
알다	知る、わかる、知っている	여행<旅行>	旅行
앞	前	역<驛>	駅
앨범	アルバム	연구부<研究部>	研究部
야구<野球>	野球	연극<演劇>	演劇
약속<約束>	約束	연극부<演劇部>	演劇部
양<梁>	ヤン(姓)	연날리기<鳶－>	たこあげ
양말<洋襪>	靴下	연락<連絡>[열락]	連絡
어	ああ、へえ	연락하다<連絡－>[열라카다]	連絡する
어깨	肩		
어디	どこ	연습<練習>	練習
어디서	どこで	연주<演奏>	演奏

연필<鉛筆>	鉛筆	~월<月>	～月
열	十(とお)、十の～	월요일<月曜日>	月曜日
열 시<－時>	十時	위	上
영<零>	ゼロ、0	유도<柔道>	柔道
영어<英語>	英語	유럽	ヨーロッパ
영어회화부<英語會話部>	英会話クラブ	유월<六月>	6月
영화<映畵>	映画	유학생<留學生>	留学生
영화 감상<映畵鑑賞>	映画鑑賞	육<六>	6
옆	横、となり	육상경기<陸上競技>	陸上競技
예	はい	윷놀이[윤노리]	すごろく
예뻐요	かわいいです、きれいです	~은	～は
예쁘다	かわいい、きれいだ	~을	～を
~예요[예요]	～です	~을 좋아해요[－조아해요]	が好きです
오<五>	5	음식<飮食>	食べもの
오늘	今日	음악<音樂>	音楽
오다	来る	음악 감상<音樂鑑賞>	音楽鑑賞
오빠	兄(←妹)	음악부<音樂部>	音楽部
오사카	大阪	~의 [에]	～の
오사카성<－城>	大阪城	의자<椅子>	椅子
오세아니아	オセアニア	이<二>	2
오세요	来てください、いらっしゃい	이<李>	イー / リー(姓)
오월<五月>	5月	~이	～が
오이	きゅうり	~이다	～だ、～である
오후<午後>	午後	이 ~	この ～
옷	服	이거	これ(「이것」の縮約)
와	わあ	이것	これ
왜	なぜ	이름	名前
외국<外國>	外国	이만 마치겠습니다[이만 마치겔 씀니다]	
~요	～です		これで終わります
요리<料理>	料理	~이에요	～です
우동	うどん	~이요	～です
우리	私たち、うちの～	이월<二月>	2月
우리 나라	私たちの国	이집트	エジプト
우산<雨傘>	傘	이학년<二學年>[이항년]	2年生
우에다 유키	上田有紀	인도<印度>	インド
우유<牛乳>	牛乳	인도네시아	インドネシア
운동장<運動場>	運動場、グラウンド	인터넷	インターネット
운동화<運動靴>	運動靴、スニーカー	일<一>	1
~원	～ウォン	일	仕事

~일＜日＞	～日	저녁	晩、夕方、夕食
일곱	七つ、七つの～	전	私は(「저는」の縮約形)
일곱 잔＜-盞＞	七杯	전철＜電鐵＞	電車
일본＜日本＞	日本	전화＜電話＞[저놔]	電話
일본 사람＜日本-＞	日本人	전화번호＜電話番號＞[저놔버노]	
일본어＜日本語＞	日本語		電話番号
일어서다	立つ、立ち上がる	접시	皿
일요일＜日曜日＞	日曜日	젓가락	箸
일월＜一月＞	1月	정＜鄭＞	チョン(姓)
일학년＜一學年＞[이랑년]	1年生	정말＜正-＞	本当
읽다[익따]	読む	정말요?＜正-＞[정말료]	本当ですか
읽어 보세요	読んでみてください	정문＜正門＞	正門
임＜林＞	イム	정식＜定食＞	定食
~입니다[임니다]	～です	제~	私の～
입다	着る	제가	私が
입학식＜入學式＞[이파씩]	入学式	제갈＜諸葛＞	チェーガル(姓)
있다	いる、ある	제사＜祭祀＞	チェーサ(先祖の命日に行う儀礼)
있어요	います、あります		
		제일＜第一＞	第一

ㅈ

		제주도＜濟州島＞	済州島、チェジュ島
자다	寝る	조＜趙＞	チョ(姓)
자요	寝ます	조선＜朝鮮＞	朝鮮
자전거＜自轉車＞	自転車	조선문화연구부＜朝鮮文化研究部＞	
잘	よく、上手に		朝鮮文化研究部
잘 가	じゃあね、気をつけて	졸업식＜卒業式＞	卒業式
잘 모르겠어요	よくわかりません	좀	ちょっと
잘 있어	じゃあね、元気でね	좋다[조타]	良い
잘 했어요[자래써요]	よくできました	좋아하는~ [조아하는]	好きな～
잠자는 것	寝ること	(~를) 좋아해요 [-조아해요]	
장구	チャング(伝統的な打楽器)		(～が)好きです
재미있다	楽しい、面白い	죄송합니다＜罪悚-＞	申しわけありません
재미있었어요	楽しかったです	주말＜週末＞	週末
저~	あの～	주문＜注文＞	注文
저	わたくし、私	주부＜主婦/主夫＞	主婦、主夫
저거	あれ	주세요	ください
저것	あれ	주소＜住所＞	住所
저고리	チョゴリ(伝統的な衣装の上着)	주스	ジュース
		줄다리기	綱引き
저기	あそこ	중간 고사＜中間考査＞	中間考査

중국<中國>	中国	칠월<七月>	7月
중국 사람<中國－>	中国人	칠판<漆板>	黒板
중국어<中國語>	中国語	침대<寢臺>	ベッド
중학생<中學生>	中学生		
지갑<紙匣>	財布		

ㅋ

카레라이스	カレーライス
캐나다	カナダ
커피	コーヒー
컴퓨터	コンピューター
케이크	ケーキ
케이티엑스	KTX(韓国の高速鉄道)
코코아	ココア
콜라	コーラ
크게	大きく

지금<只今>	今
지우개	消しゴム
지하도<地下道>	地下道
지하철<地下鐵>	地下鉄
집	家
짜요	辛いです
찌개	チゲ
찍고 싶어요	撮りたいです
찍다	撮る
찍었어요	撮りました

ㅊ

차례<茶禮>	茶礼(お盆・正月の先祖儀礼)
차요	冷たいです
참	本当に
창문<窓門>	窓
책<冊>	本
책상<冊床>	机
책장<冊欌>	本棚
천<千>	千
청바지<青－>	ジーパン、ジーンズ
체육 대회<體育大會>	体育大会、体育祭
체육관<體育館>	体育館
초등학생<初等學生>	小学生
최<崔>	チェ(姓)
추리소설<推理小説>	推理小説
추석<秋夕>	チュソク(日本の盆にあたる)
축구<蹴球>	サッカー
축하해요<祝賀－>[주카해요]	
	おめでとう
치마	チマ、スカート
친구<親舊>	友だち
칠<七>	7
칠석<七夕>	七夕

ㅌ

타다	乗る
타요	乗ります
탁구<卓球>	卓球
태권도<跆拳道>[태꿘도]	テコンドー
택시	タクシー
터키	トルコ
테니스	テニス
텔레비전	テレビ
토끼	ウサギ
토마토	トマト
토요일<土曜日>	土曜日
특별활동<特別活動>[－활똥]クラブ活動
티브이	テレビ、TV
티셔츠	Tシャツ

ㅍ

파전<－煎>	パジョン、ねぎ焼き
팔<八>	8
팔월<八月>	8月
팥빙수<－氷水>	パッピンス、かき氷
편의점<便宜店>	コンビニ
포도<葡萄>	ぶどう
프로	番組

피아노	ピアノ	호주<濠洲>	オーストラリア
필통<筆筒>	筆箱	홍차<紅茶>	紅茶
		화요일<火曜日>	火曜日
ㅎ		화장실<化粧室>	トイレ
~하고	~と	회사<會社>	会社
하고 싶어요	したいです	회사원<會社員>	会社員
하나	ひとつ	회화<會話>	会話
하다	する	후쿠오카	福岡
학교<學校>	学校	휴지<休紙>	ちり紙
학교 축제<學校祝祭>	文化祭		
~학년<學年>[항년]	~年生		
학생<學生>	学生		
한~	一つの~、一個の~		
한 개<-個>	一個、一つ		
한국<韓國>	韓国		
한국 사람<韓國人>	韓国人		
한국문화연구부<韓國文化研究部>			
	韓国文化研究部		
한국말<韓國->[한궁말]	韓国語		
한국어<韓國語>	韓国語		
한글날[한글랄]	ハングルの日（10月9日）		
한번<-番>	一度		
한복<韓服>	チマチョゴリ(韓国の伝統衣装)		
한일 사전<韓日辭典>	韓日辞書		
할머니	祖母、おばあさん		
할아버지	祖父、おじいさん		
합니다{합니다}	します		
핫도그	ホットドッグ		
해요	します		
핸드폰	携帯電話		
햄버거	ハンバーガー		
행사<行事>	行事		
형<兄>	兄(←弟)		
형제<兄弟>	兄弟		
호떡<胡->	ホットク(黒砂糖入りのおやき)		
호랑이	虎		

単語リスト（日本語 → 韓国朝鮮語）

あ

日本語	韓国朝鮮語
ああ	아, 어
愛	사랑
アイスクリーム	아이스크림
愛する	사랑하다
会います	만나요
会う	만나다
秋	가을
朝	아침
アジア	아시아
明日	내일<來日>
あすか高校	아스카고등학교<－高等學校>
あそこ	저기
遊ぶ	놀다
あとについて言ってみてください	따라 해 보세요
兄（妹から見て）	오빠
兄（弟から見て）	형<兄>
姉（妹から見て）	언니
姉（弟から見て）	누나
あの～	저~
アフリカ	아프리카
雨	비
アメリカ	미국<美國>
あら	어머
ありがとうございます	감사합니다<感謝－> 고맙습니다
あります	있어요
ありません	없어요[업써요]
ある	있다
歩いて	걸어서
アルゼンチン	아르헨티나
アルバイト	아르바이트
アルバム	앨범
あれ	저거, 저것
アン（姓）	안<安>
案内	안내<案內>
イアリング	귀걸이
イー（姓）	이<李>
いいえ	아니요, 아뇨
家	집
行きたいです	가고 싶어요
行きました	갔어요
行きます	가요
行く	가다
いくら	얼마
囲碁クラブ	바둑부<－部>
椅子	의자<椅子>
板跳び	널뛰기
1	일<一>
1月	일월<一月>
イチゴ	딸기
一度	한번<－番>
市場	시장<市場>
1年生	일학년<一學年>[이랑년]
いつ	언제
一個の～	한~
一緒に	같이[가치]
五つ、五つの～	다섯
いない	없다[업따]
犬	개
今	지금<只今>
います	있어요[?]
いません	없어요[업써요]
イム（姓）	임<林>
妹	동생<同生>
嫌だ	싫다[실타]
いらっしゃい	오세요
いらっしゃいませ	어서 오세요
いる	있다
インターネット	인터넷

インド	인도<印度>	オーストラリア	호주<濠洲>
インドネシア	인도네시아	お母さん	어머니
上	위	奥	속
上田有紀	우에다 유키	贈り物	선물<膳物>
～ウォン(韓国貨幣単位)	～원	おじいさん	할아버지
ウサギ	토끼	おじさん	아저씨
後ろ	뒤	オセアニア	오세아니아
歌	노래	遅く	늦게
内	안	お父さん	아버지
うちの～	우리～	弟	동생<同生>
うどん	우동	男、男の人	남자<男子>
海	바다	お年玉	세뱃돈<歲拜−>
うるさい	시끄러워	おはよう	안녕!<安寧>
(お会いできて)うれしいです		おば	고모<姑母>(父方),
	반갑습니다		이모<姨母>(母方)
運動靴	운동화<運動靴>	おばあさん	할머니
運動場	운동장<運動場>	お前	너
絵	그림	おめでとう	축하해요<祝賀−>
エアコン	에어컨		[추카해요]
Ａ	에이	面白い	재미있다
映画	영화<映畵>	音楽	음악<音樂>
英会話クラブ	영어회화부<英語會話部>	音楽鑑賞	음악 감상<音樂鑑賞>
映画鑑賞	영화 감상<映畵鑑賞>	音楽部	음악부<音樂部>
英語	영어<英語>	女、女の人	여자<女子>
描く	그리다		
駅	역<驛>	**か**	
エジプト	이집트	～が	～가/이
演劇	연극<演劇>	外国	외국<外國>
演劇部	연극부<演劇部>	会社	회사<會社>
演奏	연주<演奏>	会社員	회사원<會社員>
遠足	소풍<逍風>	書いてみてください	써 보세요
鉛筆	연필<鉛筆>	買い物	쇼핑
おいしい	맛이 있다, 맛있다[마싣따]	買い物する	쇼핑하다
おいしいです	맛이 있어요,	買い物します	쇼핑해요
	맛있어요[마시써요]	会話	회화<會話>
多い	많다[만타]	買う	사다
大きく	크게	かき氷	팥빙수<−氷水>
大阪	오사카	書く	쓰다
大阪城	오사카성<−城>	学生	학생<學生>

傘	우산<雨傘>	キムチ	김치
カササギ	까치	着物	기모노
歌手	가수<歌手>	9	구<九>
家族	가족<家族>	牛乳	우유<牛乳>
肩	어깨	きゅうり	오이
～月	～월<月>	今日	오늘
楽器	악기<樂器>	教科書	교과서<敎科書>
楽器の演奏	악기 연주<樂器演奏>	行事	행사<行事>
学校	학교<學校>	教室	교실<敎室>
カナダ	캐나다	兄弟	형제<兄弟>
かばん	가방	京都	교토
かまいません	괜찮아요 [괜차나요]	京橋	교바시
火曜日	화요일<火曜日>	嫌い	싫다 [실타]
カラオケボックス	노래방<－房>	着る	입다
カレーライス	카레라이스	きれいだ	예쁘다
かわいい	예쁘다	きれいです	예뻐요
かわいいです	예뻐요	近所	근처<近處>
カン(姓)	강<姜>	金曜日	금요일<金曜日>
カンガンスルレ(輪になって踊る踊り)		9月	구월<九月>
	강강술래	ください	주세요
韓国	한국<韓國>	靴下	양말<洋襪>
韓国語	한국말<韓國－>[한궁말],	国	나라
	한국어<韓國語>	組、クラス	반<班>
韓国人	한국 사람<韓國人>	グラウンド	운동장
韓国文化研究部	한국문화 연구부	暮らす	살다
	<韓國文化研究部>	クラブ活動	특별 활동<特別活動>[－활똥]
看護師	간호사 [가노사]	来る	오다
鑑賞	감상<鑑賞>	携帯電話	핸드폰
韓日辞書	한일 사전<韓日辭典>	ケーキ	케이크
聞いてください	들으세요	KTX(韓国の高速鉄道)	케이티엑스
季節	계절<季節>[게절]	ゲーム	게임
ギター	기타	消しゴム	지우개
来てください	오세요	月曜日	월요일<月曜日>
昨日	어제	元気？	안녕!<安寧>
期末	기말<期末>	研究部	연구부<研究部>
期末考査	기말 고사<期末考査>	見物する	구경하다
君	너	～個	～개<箇>[(固数)単位]
キム(姓)	김<金>	5	오<五>
キム・ソナ	김선아<金善雅>	子犬	강아지

127

公園	공원<公園>	皿	접시
公演	공연<公演>	サラダ	샐러드
高校生	고등학생<高等學生>	3	삼<三>
考査	고사<考査>	～さん	～ 씨<～氏>
高速バス	고속버스<高速－>	3月	삼월<三月>
紅茶	홍차<紅茶>	サンダル	샌들
高等学校	고등학교<高等學校>	三つの ～	세 ～
神戸	고베	サンドイッチ	샌드위치
コーヒー	커피	3年生	삼학년<三學年>［사망년］
コーラ	콜라	～時	～시<－時>［⟨固数⟩単位］
5月	오월<五月>	ジーパン	청바지<靑－>
黒板	칠판<漆板>	塩辛いです	짜요
ここ	여기	4月	사월<四月>
午後	오후<午後>	時間	시간<時間>
ココア	코코아	四季	사계절<四季節>［사게절］
九つ、九つの～	아홉	試験	시험<試驗>
心	마음	仕事	일
ことば	말	辞書	사전<辭典>
子ども	아이	下	아래, 밑
この ～	이 ～	したいです	하고 싶어요
ご飯	밥	7月	칠월<七月>
ごみ	쓰레기	実は	실은<實－>
ゴミ箱	쓰레기통<－桶>	自転車	자전거<自轉車>
これ	이거, 이것	－しない	안 －
これ、どうぞ。（ものを渡す時に使うことば）		します	해요
	여기 있습니다	しません	안 해요［아내요］
これで終わります	이만 마치겠습니다	じゃあ	그럼
こんにちは	안녕하세요?<安寧－>	じゃあね	잘 가⟨立ち去る人へ⟩
コンビニ	편의점<便宜店>［펴니점］		잘 있어⟨残る人へ⟩
コンピューター	컴퓨터	シャーペン	샤프
		写真	사진<寫眞>
		写真部	사진부<寫眞部>

さ

～歳	～살	写真を撮ること	사진 찍기<寫眞－>
財布	지갑<紙匣>	10	십<十>
サッカー	축구<蹴球>	10月	시월<十月>
茶道部	다도부<茶道部>	11月	십일월<十一月>
さようなら	안녕히 가세요<安寧－>	12月	십이월<十二月>
	⟨立ち去る人へ⟩	住所	주소<住所>
	안녕히 계세요<安寧－>	ジュース	주스
	⟨残る人へ⟩［－게세요］		

柔道	유도〈柔道〉	すみません	미안해요 [미아내요]〈未安−〉
週末	주말〈週末〉	住む	살다
授業	수업〈授業〉	相撲	씨름
宿題	숙제〈宿題〉	する	하다
主婦・主夫	주부〈主婦・主夫〉	正門	정문〈正門〉
紹介	소개〈紹介〉	セーター	스웨터
小学生	초등학생〈初等學生〉	セジョン(朝鮮王朝第四代王)	
正月	설, 설날		세종〈世宗〉
上手に	잘	ゼロ	공〈空〉, 영〈零〉
小説	소설〈小說〉	千	천〈千〉
食事	식사〈食事〉	選手	선수〈選手〉
食堂	식당〈食堂〉	先生	선생님〈先生−〉
女性	여자	先輩	선배〈先輩〉
ショッピング	쇼핑	全部	다
書店	서점〈書店〉	ソ(姓)	서〈徐〉
書道部	서예부〈書藝〉	そうです	그래요
知る	알다	底	밑
新幹線	신간센	そこ	거기
新年のあいさつ	세배〈歲拜〉	そこで	거기서
水泳	수영〈水泳〉	卒業式	졸업식〈卒業式〉
水泳部	수영부〈水泳部〉	外	밖
すいか	수박	その ～	그 ～
水曜日	수요일〈水曜日〉	祖父	할아버지
推理小説	추리소설〈推理小說〉	祖母	할머니
数学	수학〈數學〉	それ	그거, 그것
スーパーマーケット	마트	ソンピョン(松餅)	송편〈松−〉
スープ	국		
スカート	치마	**た**	
(～が)好きです	(～를/을) 좋아해요 [조아해요]	～だ	～이다
好きな～	좋아하는~ [조아하는]	体育館	체육관〈體育館〉
すごろく	윷놀이 [윤노리]	体育大会	체육 대회〈體育大會〉
済州島	제주도〈濟州島〉	大会	대회〈大會〉
スピーチコンテスト	말하기 대회〈−大會〉	大学生	대학생〈大學生〉
	[마라기−]	大丈夫です	괜찮아요 [괜차나요]
スプーン	숟가락	−たいです	−고 싶어요
スポーツ	스포츠	たい焼き	붕어빵
スポーツ観戦	스포츠 관람〈觀覽〉	高いです(値段)	비싸요
	[스포츠 괄람]	たくさん	많이 [마니]
ズボン	바지	タクシー	택시

日本語	韓国朝鮮語	日本語	韓国朝鮮語
たこあげ	연날리기<鳶－>	ちり紙	휴지<休紙>
たこやき	다코야키	机	책상<冊床>
立つ	일어서다	作る	만들다
卓球	탁구<卓球>	綱引き	줄다리기
楽しい	재미있다	摘みます	따요
楽しかったです	재미있었어요	冷たいです	차요
食べます	먹어요	～で(場所)	～에서
食べもの	음식<飲食>	～で(手段・方法)	～로/으로
食べる	먹다	～である	～이다
誰	누구	Tシャツ	티셔츠
誰が	누가	定食	정식<定食>
端午の節句	단오절<端午節>	DVD	디브이디
誕生日	생일<生日>	－できない	못 －
ダンス	댄스	テコンドー	태권도<跆拳道>[태꿘도]
チェ(姓)	최<崔>	～です	～입니다[임니다],
チェーガル(姓)	제갈<諸葛>		～예요/이에요
チェーサ	제사<祭祀>	～です	～요/이요
ちがいます	아니에요	手帳	수첩<手帖>
地下鉄	지하철<地下鐵>	出てくる	나오다
地下道	지하도<地下道>	テニス	테니스
チゲ(ピリ辛の鍋料理)	찌개	テレビ	텔레비전, 티비
父	아버지	電車	전철<電鐵>
チマチョゴリ	한복<韓服>	デンジャンスープ(みそ汁)	
茶礼(正月・秋夕儀礼)	차례<茶禮>		된장국<－醬－>
チャング	장구	電話	전화<電話>[저놔]
中学生	중학생<中學生>	電話番号	전화번호<電話番號>
中間考査	중간 고사<中間考査>		[저놔버노]
中国	중국<中國>	～と	～하고
中国語	중국어<中國語>	トイレ	화장실<化粧室>
中国人	중국 사람<中國－>	唐辛子	고추
注文	주문<注文>	東京	도쿄
チュソク	추석<秋夕>	豆腐チゲ	두부찌개<豆腐－>
チョ(姓)	조<趙>	十(とお)、十の～、十～	열, 열~
朝鮮	조선<朝鮮>	読書	독서<讀書>
朝鮮文化研究部	조선문화연구부	時計	시계<時計>
	<朝鮮文化研究部>	どこ	어디
チョゴリ(民族衣装の上着)	저고리, 한복<韓服>	どこで	어디서
ちょっと	좀	図書館	도서관<圖書館>
チョン(姓)	정<鄭>	トック(餅スープ)	떡국

トッポッキ（ピリ辛もち炒め）	떡볶이
となり	옆
どのように	어떻게 [어떠케]
トマト	토마토
友だち	친구＜親舊＞
土曜日	토요일＜土曜日＞
虎	호랑이
ドラマ	드라마
撮りたいです	찍고 싶어요
撮りました	찍었어요
撮る	찍다
トルコ	터키

な

ない	없다 [업따]
-ない	안 -
中	안, 속
中山裕太	나카야마 유타
なぜ	왜
夏	여름
納豆	낫토
ナップザック	배낭＜背囊＞
夏休み	여름 방학＜−放學＞[빵학]
7	칠＜七＞
七つ、七つの〜	일곱, 일곱 〜
何	무엇, 뭐
何〜（数を尋ねる）	몇 〜
何の〜	무슨 〜
なに部	무슨 부＜−部＞
名前	이름
ナムグン（姓）	남궁＜南宮＞
ナムル（野菜の和え物）	나물
習う	배우다
何月	몇 월＜−月＞[며뒬]
何日	며칠
何番	몇 번＜−番＞
南米	남미＜南美＞
何曜日	무슨 요일＜−曜日＞ [무슨뇨일]

2	이＜二＞
〜に	〜에
2月	이월＜二月＞
二個、二つ	두 개
日	일＜日＞
日曜日	일요일＜日曜日＞
2年生	이학년＜二學年＞[이항년]
〜には	〜에는
日本	일본＜日本＞
日本語	일본어＜日本語＞
日本人	일본 사람＜日本−＞
入学式	입학식＜入學式＞[이파씩]
〜人	〜명 [(固数)単位]＜名＞
ねぎ焼き（パジョン）	파전
ネコ	고양이
ネックレス	목걸이
寝ます	자요
寝る	자다
寝ること	잠자는 것
〜年生	〜학년＜學年＞
〜の	〜의 [에]
ノート	노트
飲む	마시다
のり巻き	김밥
乗ります	타요
乗る	타다

は

〜は	〜는 / 〜은
はい	네, 예
バイバイ	안녕＜安寧＞, 잘가(立ち去る人へ),잘 있어(残る人へ)
はい、これ。	여기 있습니다.
〜杯	〜잔 [盞]
履物	신발
パク（姓）	박＜朴＞
パク・ヨンチョル	박영철＜朴英哲＞
白菜	배추
箸	젓가락

131

箸とスプーン	수저	福岡	후쿠오카
始めましょう	시작합시다<始作 -> [시자캅씨다]	豚	돼지
		再び	다시
パジョン(ねぎ焼き)	파전	二つ	둘, 두 개<-箇>
バス	버스	二つの〜	두
バスケットボール	농구<籠球>	普通	보통<普通>
畑	밭	筆箱	필통<筆筒>
8	팔<八>	ぶどう	포도<葡萄>
8月	팔월<八月>	船	배
発音	발음<發音>	冬	겨울
パッピンス(かき氷)	팥빙수<-氷水>	冬休み	겨울 방학<-放學> [-빵학]
バドミントン	배드민턴	ブラジル	브라질
花	꽃	ブラジル人	브라질 사람
バナナ	바나나	ぶらんこ	그네뛰기
母、お母さん	어머니	プリクラ集め	스티커 모으기
春	봄	プルコギ(すき焼きのような肉料理)	
春休み	봄 방학<-放學> [-빵학]		불고기
バレーボール	배구<排球>	プレゼント	선물<膳物>
バレンタインデー	발렌타인데이	文化	문화<文化> [무놔]
晩	저녁	文化祭	학교 축제<學校祝祭>
ハンカチ	손수건<-手巾>	ベッド	침대<寢臺>
番組	프로	ベトナム	베트남
ハングルの日(10月 9日)	한글날 [한글랄]	部屋	방<房>
バンド	밴드, 악기 연주<樂器演奏>	ベルト	벨트
ハンバーガー	햄버거	勉強	공부<工夫>
パン	빵	法事	제사<祭祀>
パン屋	빵집	帽子	모자<帽子>
ピアノ	피아노	放送部	방송부<放送部>
飛行機	비행기<飛行機>	ボーイフレンド	남자 친구<男子親舊>
美術部	미술부<美術部>	ボールペン	볼펜
人	사람	他の〜	다른 ~
一つ	하나, 한 개<-箇>	僕	나
一つの〜	한 ~	北米	북미<北美> [붕미]
ビビンバ	비빔밥 [비빔빱]	ホットク(黒砂糖入りのおやき)	
百	백<百>		호떡<胡 ->
100ウォン	백 원<百 ->	ホットドッグ	핫도그
病院	병원<病院>	本	책<冊>
〜部	〜부<部>	本棚	책장<冊欌>
服	옷	本当	정말<正 ->

本当ですか	정말요?<正 -> [정말료]
本当に	참, 정말
本屋	서점<書店>

ま

マート	마트
～枚	～장[丈]
舞妓さん	마이코상
毎日	매일<每日>
前	앞
まけてください	깎아 주세요
真下、底	밑
-ません	안-
また	또
また来てください	또 오세요
～まで	～까지
窓	창문<窓門>
学ぶ	배우다
万	만<萬>
漫画	만화<漫畫>[마놔], 만화책 <漫畫冊>[마놔-]
みかん	귤
水	물
みそ汁	된장국<-醬->
三つ	셋
三つの～	세 ～
見てください	보세요
南アフリカ	남아프리카<南 ->
見ました	봤어요
見る	보다
みんな	다
みんな一緒に	다 같이
六つ、六つの～	여섯, 여섯 ～
目	눈
～名	～명[(固数)単位]<名>
メール	메일
めがね	안경<眼鏡>
メキシコ	멕시코
メロン	멜론

～も	～도
もう一度	다시 한번<- -番>
申しわけありません	죄송합니다<罪悚 ->
木曜日	목요일<木曜日>
もちろんです	그럼요[그럼뇨]
もっと	더
もっと大きく、もっと大きい声で	더 크게
もの	것, 거
ものは	건, 것은

や

野球	야구<野球>
約束	약속<約束>
易しいです	쉬워요
休む	쉬다
八つ、八つの～	여덟, 여덟 ～[여덜]
ヤン(姓)	양<梁>
夕方	저녁
夕食	저녁
良い	좋다[조타]
ヨーロッパ	유럽
よく	잘
よくできました	잘 했어요[자래써요]
横	옆
四つ	넷
四つの～	네 ～
4年生	사학년<四學年>[사항년]
読む	읽다[익따]
夜	밤
4	사<四>
読んでみてください	읽어 보세요

ら

ラクビー	럭비
リー(姓)	리<李>
陸上競技	육상경기<陸上競技>
リム(姓)	림<林>
リャン(姓)	량<梁>

留学生	유학생<留學生>
リュックサック	배낭<背囊>
料理	요리/료리<料理>, 음식<飲食>
緑茶	녹차<綠茶>
旅行	여행<旅行>
りんご	사과<沙果>
冷蔵庫	냉장고<冷藏庫>
冷麺	냉면<冷麵>
練習	연습<練習>
連絡	연락<連絡> [열락]
連絡する	연락하다<連絡－> [열라카다]
6	육<六>
6月	유월<六月>
ロシア	러시아

わ

わあ	와
わかります	알겠습니다, 알겠어요
わかりません	모르겠어요
わかる	알다
わたくし	저
わたし	나, 저
私が	제가
私が、僕が	내가
私たち	우리
私の～	제 ～
私の～、僕の～	내 ～
私は	저는, 전
私は、僕は	나는, 난
～を	～를/을

発音記号について

本書は「わかりやすさ」を最優先に考え、発音記号も標準的な国際音声記号とは異なった独自の「ローマ字ミックス」記号を使っています。国際音声記号との対応関係は、下の表のとおりです。

子音

字母	国際音声記号 初声 語頭	初声 語中	終声	本書の発音表記ローマ字ミックス 初声 語頭	初声 語中	終声
ㄱ	k	g	^{k}	k	g	^{k}
ㄴ	n			n		
ㄷ	t	d	^{t}	t	d	^{t}
ㄹ	ɾ		l	l	l	l
ㅁ	m			m		
ㅂ	p	b	^{p}	p	b	^{p}
ㅅ	s,ʃ		^{t}	s, sh		^{t}
ㅇ	–		ŋ	–		ŋ
ㅈ	tʃ	dʒ	^{t}	ch	j	^{t}
ㅎ	h	ɦ	^{t}	h		^{t}
ㅋ	k^h		^{k}	k^h		^{k}
ㅌ	t^h		^{t}	t^h		^{t}
ㅍ	p^h		^{p}	p^h		^{p}
ㅊ	$tʃ^h$		^{t}	ch^h		^{t}
ㄲ	ʔk		^{k}	ʔk		^{k}
ㄸ	ʔt		–	ʔt		–
ㅃ	ʔp		–	ʔp		–
ㅆ	ʔs		^{t}	ʔs		^{t}
ㅉ	ʔtʃ		–	ʔch		–

母音

字母	国際音声記号	本書の発音表記ローマ字ミックス
ㅏ	a	a
ㅓ	ɔ	ɔ
ㅗ	o	o
ㅜ	u	u
ㅡ	ɯ	ɯ
ㅣ	i	i
ㅐ	ɛ	ɛ
ㅔ	e	e
ㅑ	ja	ya
ㅕ	jɔ	yɔ
ㅛ	jo	yo
ㅠ	ju	yu
ㅒ	jɛ	yɛ
ㅖ	je	ye
ㅘ	wa	wa
ㅝ	wɔ	wɔ
ㅙ	wɛ	wɛ
ㅞ	we	we
ㅚ	we	we
ㅟ	wi	wi
ㅢ	ɯi	ɯi

ハングル表

	├ [a,ア]	├ [ya,ヤ]	┤ [ɔ,オ]	┤ [yɔ,ヨ]	⊥ [o,オ]	⊥⊥ [yo,ヨ]	┬ [u,ウ]	┬┬ [yu,ユ]	─ [ɯ,ウ]	│ [i,イ]	├│ [ɛ,エ]	┤│ [e,エ]
ㄱ [k]	가 [ka,カ]	갸 [kya,キャ]	거 [kɔ,コ]	겨 [kyɔ,キョ]	고 [ko,コ]	교 [kyo,キョ]	구 [ku,ク]	규 [kyu,キュ]	그 [kɯ,ク]	기 [ki,キ]	개 [kɛ,ケ]	게 [ke,ケ]
ㄴ [n]	나 [na,ナ]	냐 [nya,ニャ]	너 [nɔ,ノ]	녀 [nyɔ,ニョ]	노 [no,ノ]	뇨 [nyo,ニョ]	누 [nu,ヌ]	뉴 [nyu,ニュ]	느 [nɯ,ヌ]	니 [ni,ニ]	내 [nɛ,ネ]	네 [ne,ネ]
ㄷ [t]	다 [ta,タ]	댜 [tya,ティャ]	더 [tɔ,ト]	뎌 [tyɔ,ティョ]	도 [to,ト]	됴 [tyo,ティョ]	두 [tu,トゥ]	듀 [tyu,ティュ]	드 [tɯ,トゥ]	디 [ti,ティ]	대 [tɛ,テ]	데 [te,テ]
ㄹ [l]	라 [la,ラ]	랴 [lya,リャ]	러 [lɔ,ロ]	려 [lyɔ,リョ]	로 [lo,ロ]	료 [lyo,リョ]	루 [lu,ル]	류 [lyu,リュ]	르 [lɯ,ル]	리 [li,リ]	래 [lɛ,レ]	레 [le,レ]
ㅁ [m]	마 [ma,マ]	먀 [mya,ミャ]	머 [mɔ,モ]	며 [myɔ,ミョ]	모 [mo,モ]	묘 [myo,ミョ]	무 [mu,ム]	뮤 [myu,ミュ]	므 [mɯ,ム]	미 [mi,ミ]	매 [mɛ,メ]	메 [me,メ]
ㅂ [p]	바 [pa,パ]	뱌 [pya,ピャ]	버 [pɔ,ポ]	벼 [pyɔ,ピョ]	보 [po,ポ]	뵤 [pyo,ピョ]	부 [pu,プ]	뷰 [pyu,ピュ]	브 [pɯ,プ]	비 [pi,ピ]	배 [pɛ,ペ]	베 [pe,ペ]
ㅅ [s]	사 [sa,サ]	샤 [sya,シャ]	서 [sɔ,ソ]	셔 [syɔ,ショ]	소 [so,ソ]	쇼 [syo,ショ]	수 [su,ス]	슈 [syu,シュ]	스 [sɯ,ス]	시 [shi,シ]	새 [sɛ,セ]	세 [se,セ]
ㅇ [－]	아 [a,ア]	야 [ya,ヤ]	어 [ɔ,オ]	여 [yɔ,ヨ]	오 [o,オ]	요 [yo,ヨ]	우 [u,ウ]	유 [yu,ユ]	으 [ɯ,ウ]	이 [i,イ]	애 [ɛ,エ]	에 [e,エ]
ㅈ [ch]	자 [cha,チャ]	쟈 [cha,チャ]	저 [chɔ,チョ]	져 [chɔ,チョ]	조 [cho,チョ]	죠 [cho,チョ]	주 [chu,チュ]	쥬 [chu,チュ]	즈 [chɯ,チュ]	지 [chi,チ]	재 [chɛ,チェ]	제 [che,チェ]
ㅎ [h]	하 [ha,ハ]	햐 [hya,ヒャ]	허 [hɔ,ホ]	혀 [hyɔ,ヒョ]	호 [ho,ホ]	효 [hyo,ヒョ]	후 [hu,フ]	휴 [hyu,ヒュ]	흐 [hɯ,フ]	히 [hi,ヒ]	해 [hɛ,ヘ]	혜 [he,ヘ]

「新・好きやねんハングルⅠ」編集委員（五十音順）

任 喜久子（イム・ヒグヂャ）	大阪府立花園高等学校 教諭
康 龍子（カン・ヨンヂャ）	白頭学院建国高等学校 教諭
金 玟弟（キム・ミンヂェ）	大阪府立長吉高等学校 [NKT]
左 美和子（チュア・ミファヂャ）	大阪府立住吉高等学校 教諭
長谷川由起子（ハセガワ・ユキコ）	元・九州産業大学 教授
藤村 直哉（フジムラ・ナオヤ）	大阪府立高津高等学校 教諭
梁 千賀子（ヤン・チョナヂャ）	大阪大谷大学 非常勤講師

高校生のための韓国朝鮮語
新・好きやねんハングルⅠ

2009年 11月 11日 初版発行
2020年　3月 30日 音声ストリーミング版 第1刷発行
2024年　3月 25日 音声ストリーミング版 第5刷発行

著　者　高等学校韓国朝鮮語教育ネットワーク西ブロック
　　　　「新・好きやねんハングルⅠ」編集チーム
発　行　白帝社
発行者　佐藤和幸
　　　　〒171-0014 東京都豊島区池袋 2-65-1
　　　　Tel. 03-3986-3271
　　　　Fax. 03-3986-3272(営) 03-3986-8892(編)
　　　　https://www.hakuteisha.co.jp/
イラスト　山下蓉子

写真提供 韓国観光公社 他

ISBN978-4-86398-397-7
＊定価は表紙に表示してあります。

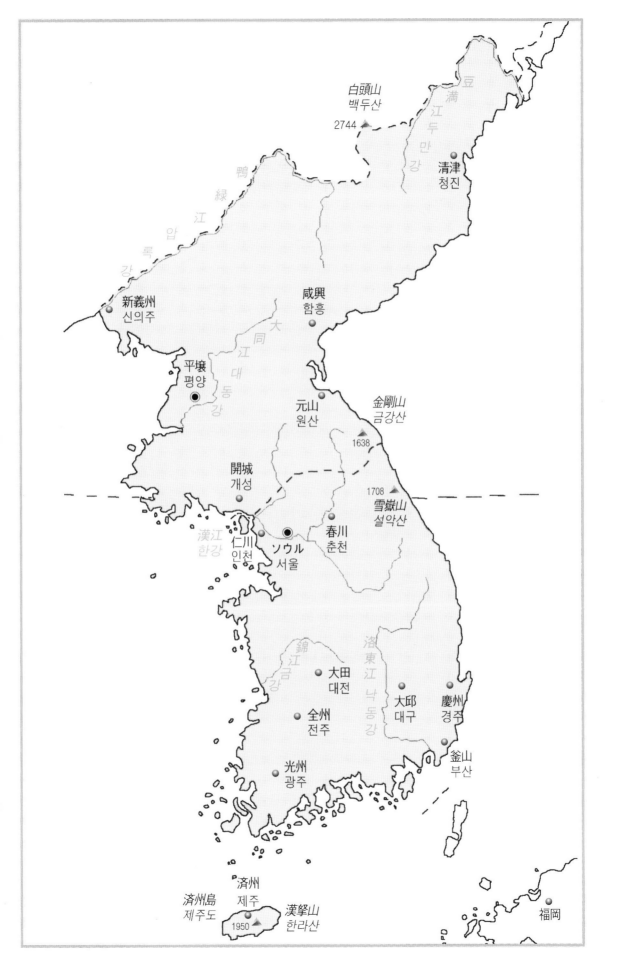

白頭山
백두산
2744

豆満江
두만강

清津
청진

鴨緑江
압록강

新義州
신의주

咸興
함흥

大同江
대동강

平壌
평양

元山
원산

金剛山
금강산
1638

開城
개성

1708
雪嶽山
설악산

漢江
한강

仁川
인천

ソウル
서울

春川
춘천

錦江
금강

洛東江
낙동강

大田
대전

大邱
대구

慶州
경주

全州
전주

釜山
부산

光州
광주

済州島
제주도

済州
제주

1950
漢拏山
한라산

福岡